우리가 사랑했던
그리운 그 작가

KB195863

우리가 사랑했던

그리운 그 작가

조성일 지음

들어가며

홀연히 떠난 그 작가가 그립다. 그리움이 쌓이면 사무치게 보고 싶다던가. 그래서 나는 우리 기억 속에 깊이 들어앉은 '우리가 사랑했던 그리운 그 작가'를 찾아 기행을 떠나고자 한다.

애초 이 기행은 치밀하게 계획하고 기획한 것은 아니었다. 서평 전문지《책과삶》편집 주간을 하던 시절, 신문이 인쇄된 다음 날이면 우리 편집부 기자들은 으레 서울 광화문에 있는 한 대형 서점으로 출근했다. 다음 호에서 다룰 책들을 살펴보기 위해서다. 물론 약간의 휴식도 겸했다.

《책과삶》에 올라갈 책들을 선정하는 과정은 다음과 같다. 오랜 시간 대형 서점에 머물며 우리는 각자 신문에서 다루면 좋을 서평 대상 책 후보들을 고른다. 그리고 현장 회의를 통해 후보들을 한 번 걸러낸 다음 편집부 목록을 만든다. 이 목록은 서평 기자단과 편집부가 함께 참여하는 기획 회의에 올라간다. 서평 기자단도 예외 없이 각자가 맡은 분야의 서평 대상 책 후보들을 갖고 기획 회의에 참석한다, 이 기획 회의에서 각자가 만들어 온 목록을 편집부 목록과 뒤섞어 난상 토론(?)을 거쳐서 최종적으로 리뷰할 책을 선정한다.

이날도 이 작업을 위해 대형 서점엘 갔는데, '작가 최인호의 특별 코너'가 눈에 들어왔다. 최인호 타계 1주기였던 것이다. 생전 그와 수차례 인터뷰하며 인연을 맺었던 터여서 그 순간 나는 나도 모르게 "아, 보고 싶다"는 말을 뱉었다. 그러고는 옆에 있던 기자에게 '그리운 그 작가'라는 이름으로 연재를 하면 어떨까 하고 물었다. 그러자 그 기자는 "주간님이 쓰면 되겠네요!"라며 맞받았다.

이렇게 '그리운 그 작가'는 즉흥적으로 한 기획이었다. 기획의 핵심은 매월 그 달과 시절 인연이 닿은 작가를 고른다는 것이었다. 그 달에 태어나거나 돌아가셨으면 일단 기행 후보가 되었다. 나는 자료 조사를 시작하여 1년치의 후보군을 만들어 편집 회의에 올려 논의했다. 서평 기자단도 좋은 기획이라는 평가를 했고, '그리운 그 작가'는 공식 연재 기사로 채택되었다.

1년의 연재가 끝나갈 즈음 다음 1년의 후보를 만들어야 했다. 그런데 그게 말처럼 쉽지 않았다. 충분히 다룰 만한 가치가 있는 작가들이지만 같은 달에 태어나거나 작고한 관계로 어떤 작가를 선택해야 할지 곤란한 상황은 자주 찾아왔고, 어떤 달에는 눈 씻고 찾아봐도 적당한 작가가 없어서 난감했다. 그러나 손품을 많이 팔면 팔수록 어김없이 작가는 찾아졌다.

독자들은 정확했다. 공들인 기사를 알아봤고, 열띤 호응을 보여줬다. 어떤 독자는 신문을 받으면 '그리운 그 작가'를 가장 먼저 읽는다고까지 했다.

이 연재는 2년 반 동안 이어졌다. 더 이상 다룰 작가가 없어서 연재를 그만둔 것은 아니다. 신문이 경영난으로 강제 휴간에 들어감으로써 불가피하게 연재가 중단되었다. 아쉬웠다. 아니 아팠다.

나는 이 원고를 책으로 펴낼 생각이 없었던 것은 아니다. 그러나 연재를 더 이어나갈 수 있었음에도 중단했던 것이 찜찜함으로 남아 있어 용기를 내지 못했다. 그러다 나는 2주에 한 번씩 만나 역사 공부를 하는 모임에서 이 얘기를 하였고, 함께한 사람들이 그 자리에서 이 기획은 책으로 펴내야 한다고 강력하게 등 떠밀어 용기를 냈다.

이 책에서는 시인, 소설가, 에세이스트, 동화 작가 등 모두 28명의 작가를 다룬다. 이들은 모두 작고한 작가들로, 우리 문학사의 한 페이지에 또렷하게 기록돼 있는 분들이다.

몇 년 동안 원고를 묵혔던 터여서, 또 신문에 연재한 글이어서 그대로 책으로 묶기에는 한계가 있었다. 다만 애초 원고를 쓸 때 그 감정을 그대로 살린다는 차원에서 시점은 그대로 두었다. 다만 뒤에 작성한 연월을 괄호 처리했다. 그리고 원고 수정은 가능한 최소로 하였다.

이제 이 원고가 책이 되어 세상에 나간다. 거친 원고를 책으로 묶는 데 많은 역할을 한 우리 역사 모임에 감사한다. 또 신문을 만들며 고락을 함께한 동지 《책과삶》 식구들에게도 무한한 고마움을 전한다. 어려운 출판 환경에도 불구하고 책을 잘 만들어준 출판사 지식여행과 신민식 대표에게도 고마움을 전한다. 늘 지지해주는 가족들에게도 사랑한다는 말을 하고 싶다.

2020년 봄
조성일

차 례

최인호

별들의 고향은 어떠세요?

1945. 10. 17.~2013. 9. 25.

첫 작가 기행의 대상을 누구로 하면 좋을지에 대해서는 고민할 것이 없었다. 즉흥적으로 이 연재를 기획하게 한 그 작가가 있었기 때문이다. 10월에 태어나고 9월에 작고한 소설가 최인호이다. 해방둥이 작가 최인호가 '별들의 고향'으로 떠난 지 1년이다. 아직도 우리 곁에는 그의 따스한 온기가 남아 있다. 최인호. 그가 그립다.

최인호. 이 이름 석 자가 그리운 건 나만의 상념일까. 그가 '별들의 고향'으로 떠난 지도 9월 25일로 벌써 1년이다. 서울 광화문 교보문고에 마련된 '작가 최인호의 특별 코너'를 보자 문득 그가 사무치게 보고 싶었다. 생전에 그를 서너 번 인터뷰했던 개인적인 인연도 인연이거니와, 그의 작품들이 여전히 우리에게 생생하게 다가오기 때문이 아닐까.

2014년 8월 26일 오후, 서울 한남동에 있는 출판사 여백미디어에 마련된, 아니 지금은 '보존'이라고 해야 하나, 아무튼 그의 집필실을 찾았다.

책상 위에 가지런히 놓인 그의 이름이 인쇄된 전용 원고지가 먼저 낯선 방문객을 맞았다. 뚜껑이 열린 채 원고지 위에서 쉬고 있는 만년필은 주인의 부름을 언제 받을지 몰라 항상 대기 중이었다. 손 뻗으면 닿을 자리에 국어사전과 영한사전도, 성모마리아 상도, 가족과 친지들의 엽서나 편지도, 서가의 책들도

출판사 여백미디어에 그대로 보존되어 있는 최인호의 집필실

모두 출타 중인 주인을 기다리고 있었다. 그곳엔 자신의 병을
"지금까지 몰래카메라였습니다"라고 말하고 싶다던 '영원한
문청(문학청년)' 최인호의 흔적이 고스란히 묻어나 있었다.

최인호는 해방둥이다. 어려서 아버지의 죽음을 맞은 탓에 또
래에 비해 조숙했던 그는 초등학교 무렵 소설가가 되겠다고 맘
먹었다.

그의 문재(文才)는 고교 2학년 때 《한국일보》 신춘문예에 단
편소설 〈벽구멍으로〉가 당선 없는 가작으로 입선하면서 드러난
다. 원래는 당선작이었으나 그가 당시 고등학생이어서 가작이
되었다고 한다. 선선한 문장이 돋보인다고 평했던 심사위원들
이 실제 시상식에 나타난 고등학생을 보고 '속았다'는 표정을

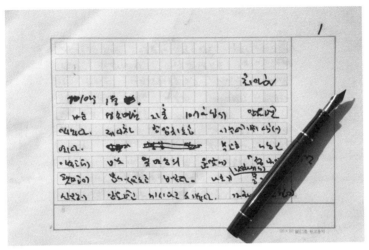

주인 잃은 책상 위에 놓여 있는 최인호의 원고지와 만년필

지었다는 전설이 사람들의 입에 회자된다. 그래서인가 이 문재
는《조선일보》신춘문예에 다시 도전했고〈견습환자〉가 당선되
어 정식으로 문단에 데뷔했다.

역시 그는 준비된 작가였다. 영화배우 신성일의 유명한 대사
"경아, 오랜만에 같이 누워보는군"을 탄생시킨 그의 출세작이
자 공전의 히트작《별들의 고향》이 발표되면서 그는 당시 '70
년대 청년 문화'를 이끄는 문화 아이콘이 되었다. 다른 한편 이
작품은 '호스티스 문학'이라는 평단의 폄하를 받는 등 많은 논
란도 불러일으켰다.

《깊고 푸른 밤》《적도의 꽃》《고래사냥》《겨울 나그네》를 발
표하면서 1980년대를 보낸 최인호는 1990년대 들어 한국 불

최인호가 남긴 작품들

교의 중흥을 이끈 인물로 평가받는 경허 스님의 일대기를 그린
《길 없는 길》과 광개토대왕 시대의 역사적 의미를 조명한《왕도
의 비밀》을 발표하면서 또 다른 면모를 보여준다. 꼼꼼하고 방
대한 취재와 깊이 있는 자료 조사 없이는 불가능한 소재를 다룬
그는 작품 세계에 한계가 없음을 보여줬다.

그의 성공작 중《상도》역시 빼놓을 수 없다. 드라마로 제작되
어 큰 사랑을 받았던 이 작품을 통해 계영배에 새겨진 '계영기
원 여이동사(戒盈祈願 與爾同死)', 즉 "가득 채워 마시지 말기를
바라며, 너와 함께 죽기를 원한다"라는 경구를 히트시켰다.

《유림》도 빼놓을 수 없다. 가톨릭 신자였지만, 그는 '나약한
펜'을 들어 특유의 대담하고 거침없는 문장으로 공자의 혼을 불
러들였다. 공자가 살아야 나라가 산다며.

최인호가 남긴 작품들

　예수를 가장 존경했던 최인호는 세상에서 가장 성스러운 곳이 '집'이라고 믿었다. '아내에게 복종함으로써 행복해진 남자'였던 그가 1975년부터 월간지《샘터》에 연재했던 〈가족〉을 죽음 직전까지 붙잡고 402회로 마무리 지어야 했을 정도로 그의 남다른 가족 사랑의 샘은 마를 줄 몰랐다.

　1987년 어머니가 작고하자 가톨릭에 귀의한 최인호(베드로)는 종교에의 귀의가 작품에서도 전환점이 되었다고 술회한 적이 있다. 살이 많고 화려했던 문장이 아주 단순해졌다고 했다.

　소설가란 "보고 느꼈던 것들을 무의식이라는 창고 속에 들여놓은 사람들이다(《대화》중에서)"라고 했던 소설가 최인호. 손이 머릿속 생각의 속도를 따라잡지 못해 필연적으로 '악필'일 수밖에 없었던 그는 생을 마감하기 직전까지 울면서 글을 썼다.

젊은 시절의 최인호 작가

《낯익은 타인들의 도시》와 《최인호의 인생》이 그가 병마의 고통 속에서 눈물로 써낸 작품들이다. 하지만….

2013년 9월 23일 오후, 그의 딸 다혜가 물었다.

"아빠, 주님 오셨어?"

그는 대답했다.

"…아니…."

딸은 24일도 같은 물음을 했고, 그는 같은 대답을 했다. 그러나 25일 같은 시간의 딸의 물음에 대해 그의 대답은 전날과 달랐다.

"주님이 오셨다. 이제 됐다."

그리고 오후 7시 2분, 그는 이승에서의 삶을 끝내고 별들의 고향으로 돌아올 수 없는 길을 떠났다. (2014년 10월)

김춘수

나도 그의 꽃이 되고 싶다

1922. 11. 25.~2004. 11. 29.

국민 애송시 〈꽃〉 하면 떠오르는 시인. 11월 25일에 태어나 11월 29일에 '꽃'이 되어 먼 길을 떠난 시인, 김춘수. 그 시인이 그립다.

내가 그의 이름을 불러 주기 전에는
그는 다만
하나의 몸짓에 지나지 않았다.

내가 그의 이름을 불러주었을 때,
그는 나에게로 와서
꽃이 되었다.

내가 그의 이름을 불러준 것처럼
나의 이 빛깔과 향기(香氣)에 알맞은
누가 나의 이름을 불러다오.
그에게로 가서 나도
그의 꽃이 되고 싶다.

우리들은 모두

무엇이 되고 싶다.

너는 나에게 나는 너에게

잊혀지지 않는 하나의 눈짓이 되고 싶다.

눈을 지그시 감고 입술을 떨어 나지막이 암송해본다. 가슴에 작은 파문이 인다. 〈꽃〉.

덥수룩한 콧수염과 뿔테 안경, 그리고 중절모가 유난히 잘 어울리던, 그래서 깡마른 얼굴이었지만 영락없이 시인처럼 보였던, 진짜 시인의 또 다른 이름이다. 김춘수.

1922년 '조선의 나폴리(박경리의《김약국의 딸들》첫 줄)'라 불리던 경남 통영에서 태어나 어린 시절을 보냈던 김춘수는 집안의 유복한 환경에 우쭐하기보단 외려 또래들에게 미안함을 느끼는 수줍음 타던 소년이었다.

서울로 유학해 경기고를 다니다 적응하지 못해 결국 졸업을 석 달 앞두고 그만둔 그는 법학을 공부할 요량으로 건너간 일본에서 그는 한 시인과 운명적으로 만난다. 라이너 마리아 릴케 Rainer Maria Rilke였다. 간다의 한 헌책방에서 산 그의 시집에서 문제의 구절을 발견한다.

"사랑은 어떻게 너에게로 왔느냐."

국민 애송시 〈꽃〉이 그의 존재론적 세계관에 영향을 받아 태어났음을 보여주는 대목이다. 이 일을 계기로 그는 점차 문학에 관심을 갖기 시작했고, 습작을 하면서 간간이 신문 학예란에 투고를 한다.

1945년 김춘수는 유치환, 윤이상, 전혁림, 박재성 등과 함께 '통영문화협회'를 결성해 활동하는데, 이듬해 〈애가〉를 발표하면서 시인으로서의 첫 발을 내디뎠다.

그리고 그 이듬해 유치환

김춘수가 직접 그린 자화상

의 서문을 단 첫 시집《구름과 장미》를 자비로 펴내면서 본격적인 시인의 길로 들어선다.

김동리의 부인 손소희가 운영하는 다방에서 만난 서정주에게서 받은 서문을 실은 두 번째 시집《늪》을 냈던 김춘수는 일찍이 소설에도 관심이 많아 자전소설《꽃과 여우》를 쓰기도 했다.

그는 평생 이데올로기나 관념 같은 '의미'를 걷어낸 '무의미 시'를 썼다. 김춘수는 일본 유학 시절 아르바이트를 하면서 아무 생각 없이 일본을 험담한 적이 있는데, 그게 문제가 되어 7개월 동안 구금된다. 그때 감옥에서 만났던 한 노인 사상범에게서 영향을 받았다. 그는 그 노인 사상범이 사환이 들고 온 갓 구운 빵 서너 개를 태연히 먹던 모습에서 이념이 도대체 뭔지를 생

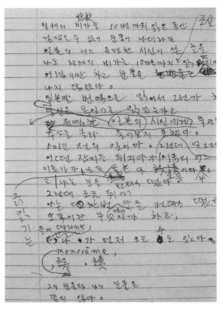

김춘수의 친필 노트

각하게 됐다고 한다. 그래서 그는 평생 이데올로기나 관념 같은 '의미'를 걷어낸 시를 써야겠다고 맘먹었다.

김춘수는 생전에 무의미란 "사물을 있는 그대로 보는 노력"이라고 설명한 바 있다. 그가 내면의 세계로 더욱 빠져들었던 것은 유일한 라이벌 시인이라고 표현한 김수영 때문이었다. 김춘수는 김수영의 〈풀〉과 같은 작품을 써보고 싶었지만 그에게 선수를 빼앗겨 자연스럽게 그 반대쪽으로 갔다는 것이다.

김춘수의 경북대 '시론' 강의는 요즘말로 '레전드'였다. 강의실은 정원의 세 배가 넘는 학생들이 들어차 늘 북새통이었고,

경남 통영시 동호동에 자리 잡은 김춘수의 생가

마칠 시간을 넘기기가 일쑤여서 다음 강의를 담당한 교수가 복
도에서 기다리기가 다반사였다고 한다.

하지만 그의 경북대 교수 생활은 평탄치 않았다. 문학평론가
정규웅이 '문단 뒤안길'이라는 글에서 밝힌 바에 따르면, 알 만
한 사람은 다 안다는 '모자 사건' 때문이었다.

김춘수는 쉰이 넘어 머리가 빠지자 베레모를 쓰고 다녔다. 그
런데 당시 박정희 대통령과 대구사범 동기라는 김 아무개 총장
이 그가 모자를 쓰고 다니는 모습을 늘 못마땅해 하다가 어느
날 회의 중에는 모자를 벗으라고 요구했다. 그러자 그는 모자를
쓰고 안 쓰고는 사생활이라면서 강하게 맞섰고, 이후 총장과 사
사건건 부딪쳤음은 불문가지. 해서 그는 결국 사표를 낸다. 그

러나 그는 영남대에서 다시 교수 생활을 한다.

김춘수는 "존재하는 것의 슬픔을 깊이깊이 느끼고 이해하려고 노력하기 때문《나는 왜 시인인가》)"에 자신은 시인이라면서 "넥타이 같은 것도 매지 말고 모닝코트나 턱시도를 입지 말아야 한다"거나 "나귀를 타고 패랭이꽃이 핀 시골길을 가야 한다. 그런 기분으로 살아야 한다(같은 책)"며 시인의 모습이 어떠해야 하는지에 대해 세세하게 일러주기도 했다.

"무언가 하실 말씀이 있으신지 쉴 새 없이 입을 움직이신다.
'선생님' '할아버지' 부르면 잠깐 움직임을 멈추신다"
                                        - 마지막 제자 심언주 시인의 간병 일기 중에서

릴케가 장미 가시에 찔려 사고사를 당하였듯 기도 폐색이라는 불의의 사고로 넉 달 가까이 중환자실에서 산소호흡기에 의지하며 '저쪽 세상과 이쪽 세상의 대화'를 나누던 김춘수는 2004년 11월 30일 이승에서의 삶을 끝내고 "그의 '꽃'이 되어" 먼 길을 떠났다.

그가 떠난 빈자리는 10년이 지난 지금도 허허롭다. 아, 가을이구나. 채워도 채워도 채워지지 않는 그의 '절대 순수'와 '인간의 참모습'은 정녕 어디에 있단 말인가. 십 수년 전, 서울 강동의 한 아파트로 그를 찾아가 인터뷰했던 나의 마음만일까. 해맑은 선비였던 김춘수. 그 시인이 그립다. (2014년 11월)

서정주

'동천'에도 국화꽃이 피었나요?

1915. 5. 18.~2000. 12. 24.

"내 누님같이 생긴" 국화꽃 만발한 가을이면 생각나는 시인이 있다. 미당 서정주. 시인은 그 자체가 시(詩)라고 밖에 달리 표현할 방법이 없다. "눈이 부시게 푸르른 날"에 12월과 시절 인연이 닿은 "그리운 사람을 그리워하자"는 시인 서정주를 만나보자.

시인 서정주는 1915년 "두루 따분하고 가난하고 서글픈 사람만이 모여서 산다"는 전북 고창 선운리 진마마을에서 태어났다.

"애비는 종이었다. 밤이 깊어도 오지 않았다(〈자화상〉)"는 서정주의 고백에 사람들은 그의 아버지를 정말 천민을 의미하는 노예쯤으로 받아들였을지도 모른다.

그의 아버지는 가까이 있던 《동아일보》 사주 인촌 김성수의 전답을 부치고 관리하는 일을 했다. '노예'가 아니었다. 이 시에서 말하는 '종'의 의미는 훗날 그의 친일 문학과는 정면으로 배치될지언정 '노예로 전락한 식민지 백성'을 상징한다고 일부 평론가들은 주장한다.

그를 키운 건 '8할'이 곰소만 갯벌에서 불어오는 '바람'이었다. 이 바람은 질마재를 넘어 대처로 가고, 대처는 그 질마재를 넘어 바다로 왔다. 진마마을에서 서당을 다니던 서정주도 부모

전북 고창 진마마을에 복원된 서정주의 생가

를 따라 부안 줄포로 이사 간다. 거기서 줄포보통학교를 졸업한
시인은 서울의 중앙고보로 진학한다. 당시 시골에서 아들을 서
울로 유학 보낸다는 것은 쉽지 않은 터, 아마 중앙고보를 설립
한 김성수와의 인연 때문이 아닌가 싶다.

그러나 서정주는 1930년 광주학생운동 1주년을 맞아 기념
시위를 주동했다가 퇴학해 고창고보로 편입하지만 곧 자퇴한
다. 그리고 개운사 대원암 박한영 스님 밑에서 공부하다 스무
살 때 동국대의 전신인 중앙불교전문학교에 들어가고, 이듬해
《동아일보》신춘문예에 〈벽〉이 당선되어 문단에 나온다.

이후 서정주는 김광균, 김동리, 오장환 등과 함께 잡지《시인
부락》을 창간하여 동인으로 활동하면서, 20년대의 감상적이고
낭만적인 시적 경향과도, 30년대의 모더니즘이나 초현실주의

서울 관악구 남현동에 있는 서정주가 살던 집

와도 거리를 두고 순수시 시대를 이끌었다.

　중앙고보 시절 서울 안국동 근처의 계림서점을 들락거리던 서정주는 마르크스의《자본론》같은 책들을 탐독하면서 자연스럽게 사회주의에 관심을 갖기는 하였으나, 막심 고리키의 단편 소설〈동지〉의 결말에서 회의를 품고 사회주의 소설을 버리고 관심을 순수문학으로 돌렸다고 술회한 바 있다.

　일제강점기 때 다쓰시로 시즈오(達成靜雄)로 창씨개명을 한 서정주는 말기에 이르러 그의 삶에서 씻을 수 없는 오점을 남긴다. 이미 세상에 많이 알려진 터라 여기서 새삼 그의 오점을 자세하게 설명할 필요성은 없을 것 같아 간결하게 네 글자로 정리한다. 친일 행위. 훗날 자서전에서 시인은 "일본이 그렇게 쉽게 질 줄 몰랐다"고 고백한 바 있다. 그러나 그의 오점은 친일로 끝나지 않았다는 점에서 시인을 아끼는 독자들을 크게 실망시켰다. 1981년 역사의 시간을 거꾸로 돌린 신 군부에 대한 찬사를 늘어놓았던 것이다. 당시 대통령 후보로 나온 전두환을 찍어달라는 연설을 하기도 했고 "님은 온갖 불의와 혼란의 어둠을 씻고"로 시작되는 '전두환 각하 56회 탄신일에 드리는 송시'까지 쓴다. 시 외에는 달리 다른 상징을 쓸 수도 없을 것 같은 서정주에 대한 독자들의 경외심은 경악으로 바뀌었다. 그래서 지금도 많은 사람들이 그를 긍정적으로 평가하지 않는다. 그런 점에서 그는 이광수와 함께 우리 문학사의 '상처'로 기록된다.

시인은 1972년 '부끄러운 이야기'라는 글로, 1975년 자서전으로, 또 1992년 시 전문지《시와 시학》을 통해 친일 행위를 공식적으로 인정했다. 자신의 치부를 솔직하게 드러냈기에 이젠 됐다는 사람들도 있고, 그런다고 그 치부가 씻어지느냐며 냉담한 반응을 보이는 사람들도 있다. 한편으로는 시와 친일이나 신군부 부역 문제를 각각 따로 평가하면 되지 않겠느냐고도 한다.

어쨌든 공과 과에 대해서는 분명한 평가가 이루어져야 함은 당연하다. 그런 점에서 그의 생가 마을에 들어선 문학관에 그의 친일 작품도 동시에 전시하고 있음은 시사하는 바가 크다.

시인은 60년간 무려 1,000여 편의 시를 썼다. 1941년 첫 시집《화사집》을 시작으로《귀촉도》《신라초》《동천》《질마재신화》《늙은 떠돌이의 시》등 15권의 시집을 냈다.

시인의 지적·문학적 편력은 고대 그리스 신화에서 출발해 자

서정주의 작품집들

라투스트라로 이어지는 신성과 초인 정신에 관심을 가졌고, 나아가 보들레르와 이백으로부터 인간의 질곡과 자연의 시심을 두루 섭렵했다. 그랬기에 시인은 정열적이고 관능적인 생명 의식을 노래하면서 점차 의식을 확장하여 동양적인 내면과 감상의 세계를 탐구한다. 이어 이 동양 정신을 심화시켜 결국 '고향'으로 회귀하는 작품 세계를 보여준다.

시인의 사후에 공개된 반듯한 육필 혹은 북북 지우고 첨삭한 부분들을 그대로 간직한 10여 권의 시작(詩作) 노트는 그동안 우리가 만났던 천의무봉(天衣無縫)의 시가 사실 고치고 고치고 또 고쳤던 누더기 흔적을 내면에 숨기고 있었음을 보여줬다.

문학평론가 남진우는 시인을 가리켜 '한국 시'라고 했다. 그의 표현을 살짝 비틀어 표현하면, "서정주는 시(詩)다." 한때 중고등학교 교과서에 10여 편의 시가 실렸던 데서 우리 문학사에서 그의 시가 차지하는 위치가 어딘지를 보여준다.

기억력 감퇴를 막기 위해 아침마다 1,625개의 세계의 산 이름을 외웠던 시인은 2000년 부인 방옥숙 여사가 먼저 저 세상으로 가자 곡기를 끊고 자리에 누웠다가 75일 만인 12월 24일 자신이 노래한 '동천(冬天)'으로 떠났다. 아마도 시인은 오늘도 동천에서 이렇게 노래하며 떠돌고 있을지 모른다. (2014년 12월)

눈이 부시게 푸르른 날은
그리운 사람을 그리워하자.

저기 저기 저, 가을 꽃자리
초록이 지쳐 단풍이 드는데

눈이 내리면 어이 하리야,
봄이 또 오면 어이 하리야.

네가 죽고서 내가 산다면!
내가 죽고서 네가 산다면?
눈이 부시게 푸르른 날은
그리운 사람을 그리워하자.

- 〈푸르른 날〉

박완서

삶이 소설이었다

1931. 10. 20.~2011. 1. 22.

작가 박완서를 모르는 독자는 없을 것 같다. 특히 '나목'이나 '싱아' 같은 낱말이 곧바로 연상되며 우리들 기억의 깊숙한 곳에 자리 잡고 있다. 작가의 연관 검색어인 박수근 화백 이름도 함께. '그리운 그 작가'가 이번에는 2011년 1월 22일에 작고한 소설가 박완서를 만나러 간다.

경기도 구리시 아천동 아치울마을에 가면 '노란 집'을 만날수 있다. 박완서가 1998년 60대 후반의 나이에 처음으로 지은 집이자 주옥 같은 작품들을 써낸 '명작의 산실'이다. 벽에 노란 색을 칠해서 붙여진 이 집 이름은 작가가 이 세상에서 소풍을 끝내고 저 세상으로 떠난 후인 2013년에 이 집에서 살아온 이 야기이며, 숨겨진 보석 같은 짤막한 소설들을 담은 아담한 한 권의 책《노란집》이 되었다.

1931년 경기도 개풍에서 태어난 박완서의 어린 시절은 그럭 저럭 유복한 편이었다. 하지만 한국전쟁은 평화롭고 단란하기 만 했던 가정을 가난, 죽음, 고통, 아픔이란 단어로만 설명이 가 능하도록 만들었다. 그래서 작가 박완서의 탄생은 한국전쟁이 라는 비극에서 비롯됐다고 해도 틀리지 않을 것 같다.

위장 전입까지 감행하며 좋은 학교에 다녀야 '신여성'이 될 수 있다는 어머니의 극성에 화답하듯 박완서는 남들이 부러워

박완서가 짓고 살았던 경기도 구리시 아천동 아치울마을에 있는 노란 집

하는 서울대 국문과에 입학하지만 결국 중퇴할 수밖에 없었던 것도 역시 전쟁 때문이었다.

역사에 가정법은 없다지만 만약 전쟁이 없었다면, 가난하지 않았다면, 과연 소설가 박완서의 문학은 가능했을까.

박완서는 가난 때문에 대학을 그만두고 미군 피엑스 초상화부에서 일해야만 했다. 여기서 작가는 그의 문학의 시원을 만들어주는 화가 박수근을 만난다.

어느 날 두툼한 화집을 끼고 출근하는 박수근을 "꼴값하고 있네. 옆구리에 화집을 끼고 다닌다고 간판장이가 화가 될 줄 아남" 하고 같잖게 여겼지만, 그가 화집 속에서 촌부가 절구질하는 그림을 가리키며 자기 그림이라고 하자 작가는 몹시 부끄러웠다고 고백한다.

숙명여고 시절 담임이었던 소설가 박노갑 선생에게서 영향을 받아 소설가의 꿈을 키웠던 박완서는 국문과에 진학한다. 하지만 결혼하면서 작가의 꿈을 접고 평범한 주부로 살아간다.

그러다 나이 마흔이 넘은 1970년에 박수근과 얽힌 이 이야기를 소재로 쓴 〈나목〉을 《여성동아》 장편소설 공모에 낸다. 그리고 당선. 문단의 말석에 이렇게 이름을 새긴 박완서는 작가로서 세상에 나서며 출사표(당선 소감)를 내놓았다.

"어쩌면 서투른 글을 쓰기 위해 서투른 아내, 서투른 엄마가 되려는 거나 아닐까. 그럴 수는 없다. 좋은 글을 쓰고 싶다. 계속 좋은 주부이고 싶다. 나는 이 두 가지에 악착같은 집착을 느낀다."

박완서는 생전에 자신의 문학 세계의 근원은 어머니라고 말했다. 그의 나이 세 살 때 남편을 잃자 아들과 딸을 박적골(개성) 시골에 놔둬서는 안 된다고 생각하여 서울로 올라와 갖은 억척을 견뎌내며 키웠다.

"더럽고 치사했"던 당시는 "우든 좌든 벌레처럼 기어서 어디 붙어서라도 살아야" 했다. 그러나 6·25는 세 살 때 사망한 아버지를 대신해 돌봐주던 숙부와 유일한 형제인 오빠마저 앗아 갔다.

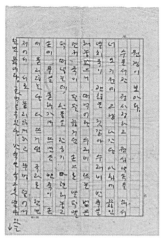
박완서의 육필 원고

박완서의 불행한 상처는 전쟁만이 아니었다. 1988년에는 남편이 폐암으로, 의대 레지던트였던 외아들이 교통사고를 당해 유명을 달리했다. 넉 달 차이로 급작스럽게 찾아온 혈육의 죽음은 "자다가도 '아' 소리가 나올 적이 있을 만큼 아직도 생생하고 예리하게 가슴을 아프"게 했다. 사냥 당한 새끼를 따라온 원숭이 배를 갈라보니 창자가 다 토막토막 끊겨 있었다는 '단장(斷腸)'의 아픔.

그래서 작가는 산문집《못 가본 길이 더 아름답다》에서 "돌이켜보면 내가 살아낸 세상은 연륜으로도, 머리로도, 사랑으로도, 상식으로도 이해 못할 것 천지였다"고 고백했는지도 모르겠다.

하지만 작가는 생전에 한 신문에서 했던 인터뷰에서 "돈에 대한 욕심은 사라졌는데, 아직 남은 욕심이 있다면 '이런 거 하나 더 써보고 싶다'는 생각을 한다"고 했다. 애간장이 다 녹을 만큼의 쓰라린 상처를 품고도 결국 문학에 대한 열정만큼은 되살리고 싶었던 것이다.

박완서는 이승에서의 삶을 끝내면서도 넉넉한 모성애를 잃지 않았다. 문인들은 돈이 없다며, 자신이 죽거든 문인들을 잘 대

박완서의 작품들

접하고 절대로 부의금은 받지 말라고 했다. 먼 길을 떠나면서도 남겨질 이승의 자식(?)들을 걱정했던 것이다.

　사람들은 박완서를 "소설을 학습한 것이 아니라 인생 자체가 소설이었다"고들 평가한다. 해방과 전쟁 공간의 어린 시절의 삶을 오롯이 복원한《그 많던 싱아는 누가 다 먹었을까》, 이 작품의 후속작으로 작가의 청년기의 삶을 리얼하게 담은《그 산이

정말 거기에 있었을까》(스무 살의 처녀 박완서가 결혼하기 직전까지 겪은 절망과 고통과 사랑), 오빠를 잃은 슬픔을 담은《엄마의 말뚝》, 남편을 잃은 슬픔을 담은《여덟 개의 모자로 남은 당신》, 아들을 잃은 슬픔을 담은《나의 가장 나종 지니인 것은》등 모든 작품에 자전적 요소가 강하게 들어가 있다. 그래서 그의 작품은 한국형 성장소설의 모델이라고도 한다. 우리가 그의 작품을 계속 읽어야 하는 이유가 바로 여기에 있다고 해도 이의를 제기할 사람이 없을 것 같다.

한편 2010년에 나온《못 가본 길이 더 아름답다》가 마지막 책인 줄로만 알았던 독자들에게 반가운 책이 한 권 더 나왔다. 그의 딸 호원숙 씨(수필가)가 책상 서랍에 남겨진 유작을 모아 《세상에 예쁜 것》을 낸 것이다. 최근에는 티베트 기행기인《모독》도 새 단장하고 다시 나와 작가에 대한 그리움을 달래준다.

(2015년 1월)

이문구

좌우를 넘어 문단을 아우른 맏형

1941. 4. 12.~2003. 2. 25.

"한국의 평단 전체가 달라붙어 연구해도 모자랄 풍요로운 언어의 숲(《이문구 소설 어 사전》)"을 이룬 '스타일리스트'이자 토박이 이야기꾼 이문구. 문단의 사람과 사람 사이 숨은 일화를 꿰뚫고 있던 그는, 그래서 문단의 오지랖이었다. 그에게는 좌도 우도 없었다. 오직 사람들이 있었을 뿐이다. 1941년 4월 12일 태어난 이문구는 2003년 2월 25일 예순둘의 나이로 먼 길을 떠났다.

"창호지에 써서 매어두었던, 땟국이 전 얄팍한" 천자문으로 손자를 가르치던 그의 할아버지의 모습이 내 할아버지의 모습과 데자뷔여서 더 선명하게 기억되는 작가 이문구. 나도 그처럼 천자문을 읽다 쉬는 시간이라야 아무런 재미가 있을 리 없었지만 돌아가기를 뭉그적거리면서도 "금방 아무개야 하고 윗니틀이 혀끝으로 떨어지도록 불러 모을 할아버지 음성이 고대(바로곧) 귓전을 울릴 것 같은 초조와 불안이 떠나지 않"았었다.

　《관촌수필》의 작가 이문구는 소설가 김동리에 의해 발견된 사람의 하나다. 우파의 대표 작가 김동리와 자유실천문인협회(김지하의 담시 〈오적〉 발표를 계기로 민주화 운동에 나선 문인들이 결성, 민족문학작가회의로, 한국작가회의로 이름이 바뀌었다) 다섯 발기인 중의 한 사람이었던 이문구와의 부조화 속의 만남에는 이문구의 슬픈 가족사가 자리하고 있다.

　한국전쟁이 발발하자 남로당 충남 보령 총책이었던 아버지가

충남 대천 관촌마을에 자리 잡은 이문구의 집안이 대대로 살아온 집터

예비검속에 걸리면서 시작된 비극은 집안에서 그의 위의 남자들은 죄다 학살당하는 것으로 귀결됐다. 토정 이지함 선생으로 대변되는 한산 이씨의 후예로 비교적 살 만했던 유교 집안이 하루아침에 풍비박산 난 것이다. 더욱이 당시에는 연좌제가 한창 작동하던 때라 '빨갱이의 자식'이 이 땅에서 발붙이고 살기란 여간 어려운 일이 아니었다.

그런 그가 작가가 되어야겠다고 맘먹은 것은 《동아수련장》 같은 것을 주로 파는 읍내의 서점을 들락거리다 만난 문인 20여 명이 함께 쓴 한 권의 수필집이었다.

책 살 돈이 없어 매일 서점에 들러 이 수필집에 들어 있는 글을 하루에 한 편씩 읽던 그가 그 책 중간쯤에서 우리나라 시조

문학 개척자인 이호우 선생의 글과 만난다. 이호우가 좌익 혐의로 검거되었는데, 문인들이 연서명으로 그는 좌익이 아니다, 오해를 받아서 투옥된 것이다, 라는 탄원서를 내서 풀려났다는 얘기였다. 이때 이문구는 무릎을 탁 치며 생각했다. 작가가 되면 개죽음은 면하겠구나, 싶었던 것이다.

작가가 되기로 맘먹은 이문구는 닥치는 대로 책을 읽었다. 그러는 와중에 김동리라는 소설가를 알게 되었고, 그가 프로문학에 대항하는 극우파 문인이라는 것도 알았다. 살기 위해서는 김동리의 우산 속으로 들어가야 한다고 이문구는 생각했다. 실제로 이문구는 서라벌예대에 들어가고 거기서 김동리의 제자가 된다.

그의 대학 시절 일화 한 토막. 동기인 소설가 한승원의 회고에 따르면, 김동리 선생이 창작 실기 학기말 시험에 이문구가 과제로 낸 습작품을 읽고 평하라는 문제를 냈다고 한다. 그때 김동리는 이문구를 가리켜 "이 학생은 장차 우리 소설 문학의 대단한 스타일리스트가 될 것이다"라고까지 극찬했단다.

그는 숱하게 잡혀 갔다. 그의 회고에 따르면 적어도 세 번은 감옥살이를 해야 했다. 이처럼 그는 남들만큼 민주화 투쟁을 했음에도 호적에 소위 빨간 줄이 그어지지 않았다. 아마도 김동리의 존재 때문이었다고 생각한다. 그래서 이문구는 김동리를 아버지처럼 여겼다.

이문구는 그의 추천으로 《현대문학》을 통해 등단하고, 생계를 위해 전전하던 막노동판(노량진에서 동작동까지의 도로 확장 공사와 연희동 공동묘지 3,000기 이장 작업 등)에서 나와 《현대문학》과 《월간문학》의 편집장을 맡았다.

이문구 자신은 확실하게 대표작이라고 하지는 않았지만 모두들 그렇게 말하는 《관촌수필》도 슬픈 가족사가 배경이 되었다. 많은 사람들의 우려 속에서도 그가 가족사를 '까발린' 것은 어렵게 나름 소설가로서의 기반을 잡았는데, 중도에 그만둘 수도 없고, 개죽음도 면하려면 선수를 치는 수밖에 없다고 생각했기 때문이다. 혐의자가 자수하듯 자신의 집 이야기를 먼저 써버리면 뒤탈이 없을 것 같았다. 이후 물론 가끔 공갈 협박을 받기는 했지만 가족사로 시비한 일은 거의 없었다고 했다.

이문구의 또 하나의 대표작 《우리 동네》역시 우리 문학사의 한 페이지를 화려하게 장식하고 있다. 이 작품은 1970년대 우리 농촌의 현실을 놀라운 밀도로 재현하면서 근대화의 음지에 가려져 있던 농촌문제를 수면 위로 끄집어낸다.

이문구는 《내 몸은 너무 오래 서 있거나 걸어왔다》로 '안티 조선일보운동'이 한창이던 2000년 《조선일보》가 주관하는 '동인문학상'을 받는다. "거마비로 인생을 살면서 그 흔한 계 한 번 들지 못한 아내에게 작은 보상이라도 하고 싶"어 수상을 받아들였다. 하지만 난리가 났고, 그에겐 적잖은 상처가 되었다. 그러나 그는 죽어서도 어느 문인이나 단체도 해내지 못했던 문단의 '화합의 자리'를 선물했다. 2003년 2월 25일 그를 존경하던 후

이문구의 작품들

배(노무현)가 대통령이 되어 취임하던 바로 그날 위암으로 떠난 그의 장례가 민족문학작가회의와 문인협회, 펜클럽이 함께 모여 치러졌던 것이다. 진보와 보수가 모든 것을 초월해 함께 어우러졌던 처음이자 마지막 자리가 아니었나 싶다.

그의 유해는 고인의 유언에 따라 그가 태어나고 자란 충남 대천의 관촌마을 뒷동산에 뿌려졌다.

이문구의 관촌마을을 취재하고 돌아오던 날 나는 소설가 송

이문구의 유해가 뿌려진 관촌마을 동산

기원과 함께 이문구의 유해를 관촌마을에 직접 뿌렸던 소설가 김영현을 만나 소주잔을 기울이며 밤늦도록 '한국 문단의 마지막 맏형' 이문구를 추억했다. (2015년 2월)

기형도

당신은 여전히 사람 사이 안개입니다

1960. 2. 16.~1989. 3. 7.

"사랑을 잃고 나는 쓰네(빈집)"라고 노래했던 시인, 나이 서른에 이승에서의 삶에
마침표를 찍은 시인, 기형도는 여전히 우리들 사이의 '안개'인가. 그의 부재 속에
서도 자주 그의 시는 불쑥 불려나와 우리들 입에서 회자된다. 사람들은 왜 "앞서
간 일행들이 천천히 지워질 때까지 쓸쓸한 가축들처럼 그 긴 방죽 위에 서 있어야
했던(안개)"가. "구겨진 불빛을 펴며(388번 종점)" 떠난 막차는 영영 오지 않을 건
가. 기형도를 그리움의 기억에서 불러내본다.

한때 시 좀 읽는 사람이라면 반드시 거쳐야 하는 시인이 있었다. 우연이건, 소개를 받았건, 그의 시를 한 번이라도 접했다면 그다음에는 스스로 찾아서 읽게 되었다. 더욱이 그의 시는 문학청년이었다면 반드시(?) 거쳐야 하는 통과의례였다. 기형도.

기형도는 첫 시집을 내지도 못한 채 준비하던 원고 뭉치를 안고 서울 종로2가 파고다극장에서 숨진 채 발견되었던, 요절 시인이다. 그의 죽음은 '시인이 요절하면 유명해진다'는 속설이 빈말이 아니라는 것을 보여주었다. 그래서인지 그는 지금도 언제 어디서든 불쑥 불려나와 사람들의 입에 회자되곤 한다.

그의 급작스러운 죽음 후 두 달 만에 나온 유고집인 《입 속의 검은 잎》은 지금까지 25년 동안 53쇄 28만여 부(나중에 나온 《기형도 전집》은 26쇄 7만 부)가 팔릴 만큼 또 하나의 신화를 만들어냈다. 이 유고집은, 그의 20주기를 맞아 문학과지성사가 펴낸 추모집 《정거장에서의 충고》(2009년)를 보면, 시인 김행숙에게는 "선물로 받아본 첫 번째 시집"이었고, 김경주 시인에게는 "가장 많이 사서 주변에 선물한 시집"이었다. 시인 심보선은 "기형도가 내게 미친 영향이 지대했구나, 이거 (내 시와) 너무 비슷하지 않나"라고 생각했다고 털어놓았다. 이 책에서 기형도의 연보를 정리했던 평론가 함돈균은 기형도의 시는 "1980년대를 더 이상 돌이킬 수 없는 흑백사진으로 만들어버리는 기이한 조사(弔辭)가 되었다"고 했다.

기형도는 1960년 2월 16일(음력) 그의 아버지가 고향 황해도에서 잠시 피난했던 연평도에서 태어났으나 다섯 살 무렵 경기도 시흥군 서면 일직리(현 광명시 소하동)로 이사한다. 일가친척이라곤 눈 씻고 찾아봐도 없는 낯선 땅에서 기형도의 부모는 성실함으로 동네에서 신임을 얻어 가세의 안정을 찾았다. 기형도가 초등학교 2학년 때 그의 가족은 '전원주택'을 지어 이사했는데, 《빨강머리 앤》에 나오는 '그린 게이블즈 하우스Green Gables House'라고 불렀을 정도였다.

하지만 기쁨도 잠시. 1969년 기형도의 아버지는 "유리병 속에서 알약이 쏟아지듯(〈위험한 가계·1969〉)" 쓰러졌고 그나마 근근이 마련했던 전답은 아버지 약값으로 다 들어가면서 어려움이 닥친다.

어린 기형도는 "찬밥처럼 방에 담겨(엄마 걱정)" 천천히 숙제를 하며 "열무 삼십 단을 이고 시장에 간 우리 엄마(같은 시)"를 기다린다. 해가 진 지 이미 오래, 기형도는 "빈 방에 혼자 엎드

경기도 광명시에 자리 잡은 기형도가 살던 집터

려 훌쩍거리(같은 시)"기도 한다.

학교가 끝나 집으로 돌아오는 길에 무료한 시간을 달래기 위해 상장으로 종이배를 띄우기도 했던, 상장이 상자에 가득할 만큼 모든 걸 잘하던 기형도는 서울의 중앙고를 거쳐 연세대에 들어간다.

그때 그는 정치외교학과 학생이면 으레 해야 하는 고시 공부 대신 연세문학회에서 활동하며 교내 신문이나 교지에서 주최하던 문학상을 받으며 문재(文才)를 드러낸다.

방위로 군 복무하던 시절 그는 안양에서 활동하고 있는 '수리 시동인'에 참가하기도 하면서 활발한 습작기를 거친다.

대학을 졸업한 기형도는 1984년 《중앙일보》에 들어가면서 신문기자가 된다. 바쁜 기자 생활 중에도 그는 문학에 대한 열

시인 기형도의 시 〈안개〉의 공간적 배경이 된 안개 낀 안양천

정만큼은 식지 않아 이듬해 《동아일보》 신춘문예에 "아침저녁
으로 샛江에 자욱이 안개가 낀다"로 시작하는 시 〈안개〉가 당선
되어 등단한다.

　정치부에서 문화부로 옮긴 기형도는 문인으로서 활동하기가
좀 나아졌다. 문화부의 취재원이나 현장이 모두 문학과 관련된
것이었기 때문이다. 그는 문화부에서 방송, 문학, 출판을 담당하
는 가운데 틈틈이 많은 작품을 썼다고 한다. 그러면서 그는 신
춘문예를 담당하면서 "자신의 눈으로 능력이 있는지 없는지조
차 판단하지 못하는 수천의 얼굴들(어떤 신춘문예)"이 쓴 신춘문
예 응모의 글을 대하기가 안쓰럽다고 고백하기도 했다.

　그러다 그는 기자 기형도보다는 시인 기형도로 활동하기에
더 적합한 부서로 옮긴다. 편집부다. 편집부의 일은 취재 기사

의 제목을 뽑고 편집(레이아웃)하는 일이 주이기 때문에 일정 시간만 집중하면 되었고, 당시 《중앙일보》가 석간이라 오후가 되면 한가했기 때문이다. 그때 그는 젊은 시인들이 주도하던 '시운동'에 참여하는 등 시의 폭죽을 터뜨렸다.

또한 그때 그는 문학과지성사로부터 시집을 묶자는 제안을 받고 열심히 준비하는 가운데, 1988년 8월 2일부터 3박4일 일정으로 휴가를 간다. 대구로 가서 소설가 장정일을 만나고 전주, 광주, 순천, 부산까지 아우르는 여정이었는데, 광주 망월동 묘지에서 뜻밖에 만난 이한열 열사의 어머니의 장탄식을 듣고 깊이 공감하기도 한다.

하지만 그는 이듬해인 1989년 3월 7일 새벽 심야 극장에서 이승과 작별 인사를 한다. 뇌졸중이었다. 그가 남긴 어깨에 멜 수 있는 가방엔 푸른색 노트가 들어 있었는데, 거기엔 첫 시집 배열표와 도입부만 써놓은 〈내 인생의 中世〉가 들어 있었다.

이제는 그대가 모르는 이야기를 하지요
너무 오래 되어 어슴푸레한 이야기
미루나무 숲을 통과하던 새벽을
맑은 연못에 몇 방울 푸른 잉크를 떨어뜨리고
들판에는 언제나 나를 기다리던 나그네가 있었지요
생각이 많은 별들만 남아 있는 공중으로
올라가고 나무들은 얼마나 믿음직스럽던지

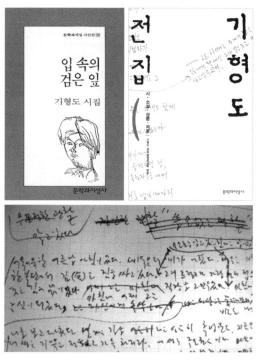

기형도 유고시집과 전집(위)과 육필 메모

내 느린 걸음 때문에 몇 번이나 앞서가다 되돌아오던
착한 개들의 머리를 쓰다듬으며
나는 나그네의 깊은 눈동자를 바라보았지요

기형도. 그는 살았을 땐 기자였지만 지금은 시인이다. 기자는
그의 연보에서 몇 줄 차지하는 이력일 뿐이지만 그의 시는 오늘
도 꺼지지 않고 사람 사이 안개로 살아 숨 쉬고 있다. (2015년 3월)

천상병

소풍 끝낸 순진무구의 시인

1930. 1. 29.~1993. 4. 28.

4월 28일이면 세간에 걸레 스님으로 통하던 중광(1992년 작고)과 작가 이외수와 더불어 시화집《도적놈 셋이서》를 냈던 시인이 지상에서의 소풍을 끝내고 "새벽빛 와 닿으면 스러지는 이슬 더불어 손"잡고 하늘나라로 돌아간 지도 벌써 스물두 해나 된다. 천상 시인이었던 천상병. 아내가 있어 "세계에서 제일 행복한 사내"라 노래했던 시인은 2010년 이승에서의 소풍을 끝내고 남편 곁으로 떠난 아내 목순옥과 저승에서 행복한 삶을 살고 있으리라.

시인 천상병을 추억하는 출발은 누가 뭐래도 서울 인사동에 자리 잡은 찻집 '귀천'이리라. 시인의 대표작이랄 수 있는 시의 제목을 따 아내 목순옥 씨가 운영하던 그 찻집의 꾸밈없는 소박함은 자리를 비운 시인을 꼭 닮아 있었다.

지금은 목순옥 씨의 조카 목영선 씨가 찻집을 그 모습 그대로 운영하고 있어 시인을 추억하는 시인 묵객들의 발길이 끊이지 않는 인사동 명소의 명맥을 잇고 있다.

하지만 시인이 '귀천'에서 세상 사람들과 만나기까지 삶의 과정은 그렇게 아름답지 않았다. 천상병은 아버지가 할아버지에게서 물려받은 천석꾼 재산을 탕진하고 일본으로 건너간 탓에 1930년 일본 효고현 히메이지에서 태어났고, 네 살 무렵 경남 의창군 진동면으로 나와 잠시 있다가 다시 일본으로 갔다가 중학교 이학년 때 돌아와 마산 오동동에서 살았다.

이때 그는 마산중학교에서 교편을 잡고 있던 친구 삼촌인 시인 김춘수를 만나게 되고, 마을 뒷산에 올라갔다가 무덤에 절하며 우는 사람들을 보고 죽음을 생각하며 느낀 감정을 적은 시 〈강물〉을 김춘수 선생님께 보여주었고, 그의 문재를 발견한 김춘수는 시인 유치환이 근무하던 《문장》지에 보내 추천한다.

대학 진학을 앞두고 천상병은 이미 중학교 오학년부터 문인의 길로 들어섰기에 문과는 가지 않기로 했으나 어떤 과를 가야 할지 고민스러웠다. 해서 그는 선배가 했다는 방식대로 학과를 쓴 종이를 둘둘 말아 던진 다음 가장 멀리 있는 종이에 쓰인 상과대학에 들어간다.

소설가 한무숙의 집에서 기거하며 조순 교수의 귀여움을 받으며 대학 시절을 보내던 그는 1953년 시 〈갈매기〉로 추천이 완료되었고, 평론도 추천을 받는다.

당시가 한국전쟁으로 암담한 시기였지만 천상병은 문학을 논하고 예술을 사랑한다며 서울 명동의 명소인 돌체며 르네상스며 은성이며 쌍과부집을 들락거리며 예술인들과 만나 울분을 토하고 책도 읽는다. 하지만 한승헌 변호사의 말처럼 '한 편의 코미디'가 그의 삶을 송두리째 바꿔놓는다.

그가 1967년 세상을 발칵 뒤집은 '동백림 간첩단' 사건에 연루되었던 것이다. 이 사건은 재불 화가 이응로, 재독 작곡가 윤이상 등 유학생들이 동베를린을 구경한 걸 두고 북한의 배후 조종에 따른 '간첩단' 사건으로 조작한 것이다.

이때 이 사건에 연루된 서울 상대 친구인 강빈구가 유학 중 동독을 방문했다는 얘기를 천상병에게 털어놓은 것이 화근이었다. 한승헌 변호사가 《경향신문》에서 했던 증언이다.

"친구인 강빈구 피고인을 공갈하여 돈을 갈취하고, 그가 간첩이라는 사실을 알면서도 당국에 신고하지 않았다고 불고지죄로 기소되었다. 그는 강빈구에게 '중정에서 나더러 동독 갔다 온 사람을 대라고 해서 난처하다'는 말을 함으로써 겁을 주어 강 씨로부터 금 6,500원을 받았고, 그 후에도 술값으로 100원 내지 500원씩 도합 3만 원을 받음으로써 갈취를 하였다는 것이었다. 대학 친구를 협박하여 2년 동안 갈취(?)한 돈의 합계가 3만 6,500원이었다."

그 일로 천상병은 "아이론 밑 와이셔츠같이(〈그날은〉)" 전기고문을 당하고 6개월간 투옥됐다 선고유예로 풀려났지만, 그 후유증으로 폐인이 된다. 앞날이 창창하던 상대생 시인의 삶은 술타령으로 밤을 지새는 떠돌이 신세로 전락했다. 그런 천상병이 1971년 돌연 종적을 감췄다. 동료 문인이나 친구들이 백방으로 수소문했지만 허사였다. 사람들은 그가 행려병자로 사망하여 어딘가에 묻혔을 거라며 아까운 천재 시인의 유고집을 만든다. 표제작 〈새〉의 제목을 딴 《새》이다.

그러나 그가 거리에 쓰러졌다가 실려가 청량리 정신병원에

천상병의 육필 원고

입원해 있다는 소식이 느닷없이 들렸는데, 기저귀를 찬 채 문병객을 맞을 정도였다. 그러나 그는 친구 동생 목순옥의 극진한 간호로 다시 시인으로 부활하고, 이들은 이듬해인 1972년 소설가 김동리의 주례로 부부의 연을 맺는다. 그리고 그는 아내가 사 주는 하루 한 갑의 담배와 막걸리 한 되로 〈행복〉한 삶을 산다.

아내가 찻집을 경영해서
생활의 걱정이 없고
대학을 다녔으니
배움의 부족도 없고
시인이니
명예욕도 충분하고
이쁜 아내니
여자 생각도 없고
아이가 없으니
뒤를 걱정할 필요도 없고
집도 있으니

생전의 천상병과 아내 목순옥 여사

얼마나 편안한가
막걸리를 좋아하는데
아내가 다 사주니
무슨 불평이 있겠는가

하지만 술 때문인지 그는 1988년 간경화증으로 사경을 헤맨다. 일주일밖에 못 산다는 그를 강원도 춘천의료원장으로 있는 대학 친구 정원석 씨가 자신의 월급에서 병원비까지 내주며 치료를 한 덕택에 다시 시인으로 부활한다.

천상병은 시를 '문학의 왕'으로 여겼다. 이유는 시가 "가장 진실하기" 때문이다. "거짓말하는 시는 시가 아니"라고 그는 말했다. 천상병은 시를 짧은 시간에 썼다. 그러나 쓸 때만은 단시간이지만 구상에는 많은 시일이 걸린다고 했다.

목순옥 씨가 운영하던 찻집 귀천

　가난한 시인이었지만 말년은 더없이 행복했다는 천상병. 하지만 그의 이런 달관의 이면에는 벌겋게 달궈진 다리미 밑에 깔린 와이셔츠였던 천상병이 있다. "진실의 고통"을 알고 있을 그의 "살과 뼈"는 비록 스러졌을지라도 영혼은 부활과 부활을 거듭하며 순진무구 그 자체로 우리들 곁에 머물다 갔다. "아름다운 이 세상 소풍 끝내는 날" 하늘나라로 이사한 그는 "가서 아름다웠더라고" 말했으리라. (2015년 4월)

권정생

성자가 된 예수님

1937. 9. 10.~2007. 5. 17.

동화 작가 권정생 하면 으레 '가난'이나 '전쟁' 그리고 '병마'라는 낱말을 떠올린다. 이 세 낱말을 합하여 그의 삶을 한 줄로 압축하면 '죽음의 문턱까지 갔다 온 사람'이라고 할 수 있으리라. "글과 삶이 일치"하는 작가라는 평가를 받은 그의 작품은 수많은 독자들의 심금을 울린다. 작은 사람 권정생. 5월과 시절 인연이 닿은 그를 추억해본다.

어느 고을 조그마한 마을에
한 사람 살고 있네.
지붕이 낮아
새들조차도 지나치고야 마는 집에
목소리 작은 사람 하나
살고 있네.

이 다음에 다시
토끼며 소며 민들레 들
모두 만나볼 수 있을까
어머니도 어느 모퉁이 서성이며
기다리고 있을까
이런저런 생각 잠결에 해보다가
생쥐에게 들키기도 하건만

변명을 안 해도 이해해주는 동무라
맘이 놓이네.

장마가 져야 물소리 생겨나는
마른 개울 옆을 끼고
그 개울 너머 빌뱅이 언덕
해묵은 무덤들 누워 있듯이
숨소리 낮게 쉬며 쉬며
한 사람이 살고 있네.

온몸에 차오르는 열 어쩌지 못해
물그릇 하나 옆에 두고
몇 며칠 혼자 누워 있을 적
한밤중 놀러 왔던 달님
소리 없이 그냥 가다는
뒤돌아보고 또 뒤돌아보고
그러나 몸 가누어야지
몸 가누어
온누리 남북 아이들
서로 만나는 발자국 소리 들어야지
서로 나누는 이야기 소리 들어야지.

이 조그마한 꿈 하나로
서른 넘기고
마흔 넘기고
쉰 넘기고
예순마저 훌쩍 건너온 사람.

바람 소리 자고 난 뒤에
더 큰 바람 소리 듣고
불 꺼진 잿더미에서
따뜻이 불을 쬐는 사람.
눈물이 되어버린 사람
울림이 되어버린 사람.

어느 사이
그이 사는 좁은 창틈으로
세상의 슬픔들 가만히 스며들어
꽃이 되네.

꽃이 되어
그이 곁에 눕네.

시인 임길택이 실제 '한 사람'을 대상으로 쓴 시《우리말과 삶

계몽운동을 펼치고 있는 권정생

을 가꾸는 글쓰기》제27호에 게재)인데, 그가 바로 동화 작가 권정
생이다. 임길택은 그의 '이름' 앞에 '작은 사람'이라는 수식어를
달아 이 시의 제목으로 삼았다. 임길택이 말한 '작은 사람'의 의
미가 '큰 사람'에 대한 반어법이라는 것을 모르는 사람은 없을
것이다. 그렇다. 권정생은 분명 '큰 사람'이었다.
　일제강점기 일본 도쿄 빈민가의 옷장수 집 뒷방에서 노무자
의 아들로 태어난 권정생은 누나가 친구들과 나누던 '예수의 이
야기'를 우연히 듣게 된다. 머리에 가시관을 쓰고 피를 줄줄 흘
리며 십자가에 못 박혀 죽은 예수의 모습은 다섯 살짜리 소년에

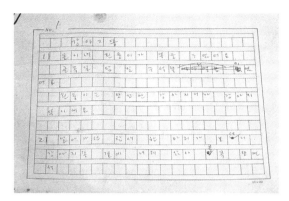

권정생의 〈강아지 똥〉 육필 원고

겐 큰 충격으로 와닿았다. 이 일은 후에 그를 기독교인으로 살
게 하는 데 한몫했음은 물론이다.

가난 때문에 학교에 가지 못하고 늘 외톨이였던 그는 해방 이
듬해인 1946년 한국으로 돌아왔다. 하지만 거듭된 흉년으로
넘기 힘들던 그해의 보릿고개는 유난히 더 심했다. 힘겹게 보릿
고개를 넘기며 살던 그의 가족들은 6·25가 나자 뿔뿔이 흩어져
서로 생사조차 모르게 되었다. 그도 부산에서 재봉틀 파는 상점
에서 점원으로 일하면서 자동차 정비소에 다니는 오기훈과 최
명자를 알게 된다.

그는 기훈이와 함께 초량동의 헌책방 계몽서점에서 책을 빌
려보는 것이 유일한 낙이었다. 《젊은 베르테르의 슬픔》을 읽고
베르테르의 사치한 죽음에 분노하기도 하고, 《죄와 벌》을 읽고
울기도 했다. 이광수의 《단종애사》는 사육신을 존경하게 만들

었다. 그런 질풍노도의 시기를 보내던 어느 날 기훈이 죽는다. 사람들은 그가 식중독으로 죽었다고 했지만 권정생은 자살이라고 생각했다. 크리스천이었던 여자 친구 명자는 어느 윤락가에서 웃음을 파는 여자로 전락했다. 기훈의 죽음은 함께 사서 읽던 《학원》의 구독을 끊게 했고, 쓰고 남은 상품 포장지에 써보던 소설도 시도 그만두었다.

1956년 그 무렵 그는 가끔 몸에 열이 오르고 기침이 났는데, 그게 늑막염에다 폐결핵이 겹친 증상이었다. 집으로 돌아갔다. 남의 집 논밭 다섯 마지기를 소작하며 겨우 입에 풀칠하는 상황이었다. 희망이 없었다. 그는 어두운 방 안에 꼼짝 않고 누워 있을 뿐이었다. 그의 병세는 점점 더 악화되었고, 급기야 신장, 방광까지 결핵이 번졌다. 구약성경에 나오는 욥만큼 참담하다고 느낄 만큼 절망의 절벽에 서 있던 그의 병세는 어느 날 호전되기 시작했다.

1963년 그는 교회학교 교사가 된다. 그러나 어머니의 병시중으로 과로한 탓에 그의 병세는 다시 악화됐고, 한 1년쯤 바람 좀 쐬고 오라는 아버지의 간곡한 부탁으로 어느 날 새벽 보따리 하나만 들고 집을 나왔다. 기도원에 짐을 풀었다.

그러나 그곳도 그가 있을 곳이 아니었다. 그는 수중에 있던 돈을 털어 두레박용 깡통을 산다. 그리고 거지가 된다. 노숙까지 하면서 철저한 거지가 된 그는 "사람의 손이 만든 콩크리트 다리 밑 오늘 밤은 거기를 빌어들어(〈내 잠자리 밤〉)"서는 "어쩌

권정생의 작품집

면 이런 자리에 누추하게 함께 주무실런지요" 하고 주님께 묻는
다. 그때 그는 한 가지 병을 더 얻는다. 부고환결핵이었다.

1967년 그는 안동시 일직면의 일직교회 문간방에 들어가 산
다. 거기서 종지기 일을 하면서 그는 글을 썼다.

권정생은 1969년 동화《강아지 똥》으로 월간《기독교 교육》
의 제1회 아동문학상을 받으면서 문단에 데뷔한다. 이 작품이
실린 잡지를 보고 아동문학가 이오덕이 그를 찾아오면서 둘은
열두 살의 나이 차(이오덕이 더 많음)에도 불구하고 친구가 된다.
1973년엔 동화〈무명저고리와 엄마〉로《조선일보》신춘문예에

당선됐다.

이렇게 작가의 길로 들어선 그는 1977년 조용히 글을 쓰고 싶어 교회 문간방에서 이사를 한다. 권정생 하면 으레 연관 검색어로 떠오르는 《몽실 언니》는 그의 나이 마흔넷인 1981년 울진에 있는 시골 교회 청년회지에 연재를 시작했다가 《새가정》으로 옮겼던 작품이다. 특히 이 작품이 사람들의 입에 많이 회자되는 것은 이십수 년 전 그에게 쥐꼬리만 한 원작료를 쥐어주고 방영됐던 텔레비전 드라마 〈몽실 언니〉의 탓이 크리라.

1983년 빌배산 아래 빌뱅이 언덕에 동네 청년들이 지어준 여덟 평짜리 흙집에서 마음대로 아프고 외롭고 생각에 젖으며 활발히 작품을 발표하던 그는 2007년 정호경 신부에게 마지막 편지를 쓰고 이승에서의 삶에 마침표를 찍었다.

"제 통장 다 정리되면 나머지는 북측 굶주리는 어린이들에게 보내주세요. 제발 그만 싸우고, 그만 미워하고, 따뜻하게 통일이 되어 함께 살게 해주십시오. 중동, 아프리카 그리고 티벳 아이들은 앞으로 어떻게 하지요. 기도 많이 해주세요. 안녕히 계십시오."

그의 통장에는 1,000,000,000원이 있었다고 한다. 그는 성자가 된 예수였다. (2015년 5월)

김수영

불온한 시대와 화해하셨나요?

1921. 11. 27.~1968. 6. 16.

한국 현대사와 불화했던 시인을 꼽으라면 단연 김수영 시인이 아닌가 싶다. "우산대로 여편네를 때려눕"히기도 했지만 "김일성 만세"까지 외쳤던 시인이 아니던가. 6월 16일은 그 시인의 기일이다. 《한국일보》 정달영 기자와 작가 이병주와 대취하도록 마시다가 이병주를 '딜레탕트'라고 비판하고는 서강 종점 인적 드문 길을 휘적거리며 귀가하다 버스에 치여 이승에서의 삶을 마감했던 그 시인, 김수영. 그는 불온한 시대와 화해했을까?

시인 김수영 하면 시 〈풀〉 얘기부터 하는 것이 순서이겠지만, 아, 앞 쪽에 썼던 "김일성 만세" 부분부터 해명해야겠다. 앞뒤가 거두절미된 채 이 시구를 접하면 시쳇말로 종북주의자 중에서도 골수로 인식되기에 충분하기 때문이다.

김수영은 시를 쓸 때면 부쳐 온 봉투의 뒷면에 쓰곤 했다. 이 시 역시 그렇게 썼는데, 그 내용이 범상치 않다.

'김일성 만세'
한국의 언론 자유의 출발은 이것을
인정하는 데 있는데

이것만 인정하면 되는데

이것을 인정하지 않는 것이 한국

언론의 자유라고 조지훈이란
시인이 우겨대니
나는 잠이 올 수밖에

'김일성 만세'
한국의 언론 자유의 출발은 이것을
인정하는 데 있는데

이것만 인정하면 되는데

이것을 인정하지 않는 것이 한국
정치의 자유라고 장면이란 관리가 우겨대니
나는 잠이 깰 수밖에

    언론의 자유가 없음을 고발한 이 시를 김수영은 제목을 〈잠꼬대〉로 바꾸어 《현대문학》에 보냈지만 반려됐다고 한다. 그렇게 사장됐던 이 작품이 세상 사람들과 만난 것은 2008년 《창작과비평》을 통해서였다. '김일성 만세'에 작은따옴표가 있음으로 인해 김일성 찬양과는 전혀 거리가 먼 시라는 것을 알 수 있지만, "대한민국 최장, 최대의 금기어(김명인)"이기에 그의 시는 사람들을 화들짝 놀라게 했다.
    그렇다. 김수영은 이렇듯 직설적 어조로 억압된 현실에 대해

김수영 시인의 작품집

강력하게 항의했다. 처음에는 모더니즘의 경향을 보이던 그가
이렇게 현실 참여로 나아간 것은 아무래도 그의 삶에 커다랗게
각인된 한국 현대사의 사건들 때문이리라.

1921년 11월 27일 서울 관철동에서 태어난 김수영은 그럭
저럭 유복한 가정에서 자랐는데, 보통학교 졸업 무렵 장질부사
에 폐렴과 뇌막염까지 앓는 바람에 원하는 학교에 진학하지 못
하고 선린상업 전수부(야간)를 졸업한다. 그리고 일본 유학을
떠나지만 대학 대신 연극을 배운다. 그런 그가 일제의 학병 징
집을 피해 만주로 갔다가 해방을 맞아 귀국하여서는 시 창작을
시작한다.

1947년《시인부락》에 〈묘정의 노래〉를 발표하며 문단의 나
온 그는 김경린, 박인환과 함께 시집《새로운 도시와 시민들의
합창》을 내면서 주목을 받는다. 관념과 기교가 주를 이루던 그

서울 도봉구에 세워진 김수영문학관

의 작품에 영향을 미친 것은 한국전쟁이었다. 시인은 서울에 남
아 있다 의용군에 끌려갔고, 인민군 후퇴 과정에서 유엔군에 붙
잡혀 거제도포로수용소에서 반공 포로 생활을 한다. 포로수용
소에서 통역을 하기도 하지만 시인은 그곳에서의 지옥 체험을
통해 현실 문제에 대해 관심을 갖게 되었다. 이후 벌어진 4·19
와 5·16 등 한국현대사의 굵직한 사건들을 직접 체험하면서 시

인은 민중의 역할이 중요함을 깨닫고 "더러운 진창, 더러운 역사를 구성하는 요강, 망건, 장죽, 종묘상, 피혁점, 곰보, 애꾸, 무식쟁이, 이 모든 반동들이 우리의 현재를 구성하는 거대한 뿌리(〈거대한 뿌리〉)"라고 선언한다.

그의 삶에서 아내 김현경 이야기를 빼놓을 수 없다. 시인은 일본 유학에서 돌아온 후 동경의 같은 집에서 지내던 선배 이종구를 통해서 알게 된 김현경과 결혼식은 올리지 않고 부부가 되어 한집에 살지만 역시 한국전쟁은 그들의 행복을 그냥 놔두지 않았다. 시인이 의용군에 붙잡혀 갔다가 포로수용소에서 지내는 동안 아내 김현경 역시 전쟁이라는 극한 상황에서 살아남기 위해 부산에 갔다가 이종구와 동거를 한다. 포로수용소에서 나온 김수영이 이종구를 찾아갔다가 거기서 아내 김현경을 발견하고 김현경의 손목을 잡아끌며 시인은 한마디 한다.

"가자!"

그러나 김현경의 대답은 "그럴 수 없어요!"였다. 그러자 시인은 "늬가 없어도 나는 산단다(〈너를 잃고〉)"며 태연한 척했지만, "마지막 설움마저 보낸 뒤(〈방안에서 익어가는 설움〉)"에 빈 방안에 홀로 머물러 앉자 갈피를 잡지 못하고 있다.

1년 후 김현경은 시인에게로 돌아온다. 그러나 아내를 팬 것을 두고 부끄러워했을 시인은 "집에 돌아와서/제일 마음에 꺼리는 것이/아는 사람이/이 캄캄한 범행의 현장을 보았는가 하는 일이었다(〈죄와 벌〉)"고 외려 너스레를 떤다. 그는 옹졸한 인간이었다. 붙잡혀 간 소설가를 위해 언론의 자유를 요구하지 못하고 월남 파병을 반대하지 못하면서도 설렁탕집 주인한테는 "오십 원짜리 갈비가 기름덩어리만 나왔다고 분개(〈어느 날 고궁을 나오면서〉)"하는 위인이었다.

시인이 즐겨 사용한 시어는 '자유'가 아닌가 싶다. 그가 남긴 시나 산문을 보면 그가 얼마나 자유를 갈망한 시인이었는지 알 수 있다. 일 년에 고작 열두서너 편의 시를 썼던 시인은 작고하기 반달 전 그를 '진짜 시인'으로 기억하게 하는 그 문제의 작품을 쓴다. 〈풀〉이 그것이다.

하지만 김수영은 1968년 6월 15일 문우들과 술자리를 갖고 귀가하다 과속버스에 치여 적십자병원으로 실려가 응급조치를 받았으나 끝내 의식을 회복하지 못하고 이튿날인 16일 이승에서의 삶을 마감했다. 시인 신동엽은 그의 죽음을 두고 "어두운 시대의 위대한 증인을 잃었다"고 애도했다. (2015년 6월)

이청준

당신의 천국에서 잘 지내십니까?

1939. 8. 9.~2008. 7. 31.

"인간적으로 너무 나무랄 데 없는 신사(박완서)", "신실하고 착하고 예의 바른 천상 한국의 선비(김원일)", "겸허를 가르쳐준 삶의 스승(한양대 정민 교수)"…. 이 월 단평의 주인공은 소설가 이청준이다. "우리 현대 소설사를 가장 빛낸 지성적인 작가(우찬제)"로 평가받는 그는 "거의 순교자적인 태도로 작품에 달려(김현)"들다가 간 작가로 기억된다. 아울러 그의 이름은 영화와 더불어 사람들의 입에 회자되기도 한다. 7주기를 앞둔 이청준을 추억해본다.

외양의 아름다움과 내면의 미가 서로 잘 어울릴 때 흔히 문질 빈빈(文質彬彬)이란 말을 쓴다. 예부터 참된 선비들이 다다르고 싶어 했던 경지이다. 이 헌사가 지극히 어울리는 이가 있었으니, 그가 바로 소설가 이청준이다.

이청준은 1939년 8월 전남 장흥 대덕면(현 회진면) 진목리에서 태어났다. 광주에서 이백 리 길인 장흥에서도 구십 리를 더 가야 나오는 촌동네에서 자란 그는, 소설《침몰선》이나 산문〈어린 날의 추억 독법〉의 묘사로 짐작하건대, 공부 잘하는 모범 어린이었다.

그런 그였기에 들어가기가 그 어렵다던 광주서중에 입학하였고, 물이 가서 결국 버릴 수밖에 없었던, 어머니가 싸준 게 한 꾸러미를 가지고 광주의 친척 집에 기숙하며 객지의 삶을 시작한다.

그의 나이 여섯 살 때 세 살짜리 아우를 홍역으로 잃었고, 이

전남 장흥에 자리 잡은 이청준의 생가

어 결핵으로 누워 있던 맏형도, 그리고 아버지마저 불귀의 객이
되었다.

이런 경황이었기에 초등학교를 늦게 들어간 그는 다락방에
있던 형이 읽다 남기고 간 소설책을 읽었다. 책을 펴면 형이 남
긴 메모나 독후감을 만날 수 있었기 때문이다.

광주제일고를 거쳐 서울대 독문과를 다니던 그는 4학년 때인
1965년 단편 〈퇴원〉이 《사상계》 신인문학상에 당선되면서 작
가의 길로 들어섰다. 그가 작가의 길로 들어선 것은 도회지 속
현실에 끼어들지 못하니 말로라도 끼어들고 싶어서였다.

《사상계》와 《여원》 같은 잡지에서 잠시 직장 생활을 한 것을
빼고는 평생을 전업 작가로 살다 간 그가 일약 문단의 주목을

이청준의 작품집

받게 된 것은 1967년 〈병신과 머저리〉로 동인문학상을 거머
쥐면서다. 이후 그는 한국에서 제정된 문학상은 죄다 받는다.
　어머니보다 먼저 머리가 허옇게 세서 죄송한 마음에 아호를
'미백(未白)'으로 정했었다는 작가에게 있어 어머니는 문학 그
자체였다. 이청준의 문우인 나한봉 감독이 우리 문학사에 길이
남을 아름답고 서정적인 걸작으로 평가받는 그의 작품 〈눈길〉
을 두고 "이가(이청준)는 손만 빌리고 진짜 뒤에서 소설을 쓴 것
은 고향과 어머니"라고 했을 정도다. 그 자신도 1994년 어머니

가 세상을 뜬 후 쓴 《축제》의 머리말에서 "나는 어머니에게 늘 아버지를 느꼈다. 온화한 모정과 함께 남성의 대범함과 냉엄스 러움을 느꼈다"고 썼다. 그도 그럴 것이 그는 아버지와 형을 일 찍 여의였기에 어머니가 곧 아버지일 수밖에 없었으리라.

그의 작품 세계는 《이어도》《축제》 같은 작품을 통해서 '토속 적인 민간신앙의 세계'를, 《당신들의 천국》《잔인한 도시》를 통 해서는 '산업사회의 인간소외 문제'를, 《퇴원》《병신과 머저리》 에서는 '지식인의 존재 해명'을, 《선학동 나그네》《서편제》에서 는 '전통적 정서'를 보여준 작가로 기억된다.

그의 대표작 《당신들의 천국》의 주인공 조백헌의 실제 모델 인 조창원 원장이 작품이 나온 이후에 책을 닮으려 애쓰는 삶을 산다고 했고, 또 이 작품을 읽고 감동을 받아 소록도 병원 근무 를 자원한 약사도 있었다고 할 만큼 그의 작품들은 독자들 속에 생생하게 각인돼 있다.

2003년 출판사 열림원에서 완간한 그의 전집이 장편소설 11 편 12권을 비롯하여 단편소설 10권, 연작소설 3권 등 모두 24 종 25권에 달했지만, 전집 완간 이후 발표한 작품, 산문이나 동 화까지 아우르면 그의 작품 수가 얼마인지 평론가들조차 정확 하게 모를 정도로 그는 다작을 했다. 지금은 문학과지성사에서 그의 전집이 출간되고 있다.

그의 문학 인생에서 영화를 빼놓고 이야기 할 수 없으리라. 한국 영화 역사상 처음으로 100만 관객을 넘어서며 레전드를

전남 장흥에 마련된 이청준 문학 자리

만들어 낸 영화 〈서편제〉(1993년 그의 다섯 연작 중 세 편인 〈서편
제〉〈소리의 빛〉〈선학동 나그네〉를 원작으로 하여 임권택 감독이 제
작한 영화)를 비롯해 〈석화촌〉(1972년), 〈축제〉(1996년), 〈밀
양〉(2007년, 원작 〈벌레 이야기〉), 〈천년학〉(2007년) 등이 주요
목록이다.

  그의 작품은 미국을 비롯하여 일본, 중국, 독일, 오스트리아,
스페인, 터키 등 전 세계에 번역되었다. 그는 가장 한국적인 작
가이면서 동시에 세계적인 작가였다. 늘 단골로 회자되는 시인
말고도 그의 이름도 노벨문학상 수상 후보자 중 한 명으로 거론
되었다.

  2007년 11월, 그는 병석에 있으면서도 중편 3편과 단편 4편

을 묶어 작품집《그곳을 다시 잊어야 했다》를 낼 만큼 생의 마지막 순간까지 현역 작가로 살다 갔다.

작가는 죽음을 앞두고 10여 년 기르던 동백 화분을 고향으로 보내 심게 하고 자신의 묏자리 정돈을 부탁했다고 한다. 그리고 2008년 7월 31일, 당신의 천국으로 떠났다.

"그대의 손에 이끌려 영안실 안으로 들어서자 놀라워라, 그대는 어느덧, 거짓말처럼 순백의 꽃밭 속 검은 사진 속으로 가물가물 사라지고 있었소. 또 놀라워라, 내가 향을 피워도 아무 말 없었소. 다시 또 놀라워라, 절을 두 번씩이나 해도 모른 척 하지 않겠는가. 그대 이래도 되는 일인가. … 고집스러운 소설쟁이 이청준이여, 우리의 국민 작가 이청준 사백이여!"

세 살 위 문학평론가 김윤식이 썼다는 이 조사(弔辭)처럼 그를 보낸 이승의 독자들은 아직도 슬픔과 안타까움을 삭히지 못하고 그리워하고 있다. (2015년 7월)

황순원

문학 말고는 관심 두지 않았던 선비

1915. 3. 26.~2000. 9. 14.

함량 따위와는 애당초 관심이 없는 부박한 대중문화가 아무 데나 갖다 붙이길 좋아하는 시대라 되레 쓰기가 뭣하지만 딱히 떠오르는 것이 없다. 하지만 어쩌랴. 여기에 이만한 수식어가 또 있으랴. '국민 소설' 〈소나기〉. 올해는 이 국민 소설을 쓴 작가 황순원이 태어난 지 100년이 되는 해이기도 하거니와, 특히 9월 18일은 그가 '비탈진 언덕에 선 나무들' 곁으로 떠난 15주기 기일이어서 9월에 그를 기려야 하는 의미는 곱절이 된다.

"수숫단 속은 비가 안 새었다. 그저 어둡고 좁은 게 안됐다. 앞에 나앉은 소년은 그냥 비를 맞아야만 했다. 그런 소년의 어깨에서 김이 올랐다. (…) 소녀가 안고 있는 꽃 묶음이 망그러졌다. 그러나 소녀는 상관없다고 생각했다. 비에 젖은 소년의 몸 내음새가 확 코에 끼얹혀졌다. 그러나 고개를 돌리지 않았다. 도리어 소년의 몸 기운으로 해서 떨리던 몸이 적이 누그러지는 느낌이었다."

머리 위에 올라와 있던 '먹장구름' 한 장이 이내 "목덜미를 선뜻선뜻" 하게하며 "대번에 눈앞을 가로막"자 입술이 파랗게 질린 소녀가 소나기를 피할 수 있도록 수숫단 속으로 밀어 넣고 밖에서 비를 맞는 소년. 소나기를 맞은 소년의 어깨에서 피어오르는 '김'이 소녀를 감쌌다. 소년과 소녀 사이에 순수한 사랑이 피어올랐다.

경기도 양평에 조성된 소나기 마을

'국민 소설' 〈소나기〉가 황순원의 작품이라는 것을 모르는 사람은 없을 듯싶다. 그래서 독자들은 그를 더 그리워할지도 모른다. 모르면 그만일 터, 알기에 더 그리운 작가, 황순원.

사람들은 황순원을 가리켜 "온갖 시대사의 격랑을 헤치고 순수문학을 지켜온 거목(문학평론가 김종회)"이라고 말한다. 평생 문학 말고는 한눈을 팔지 않았던 그의 작가 정신은 이런 평가를 웅변적으로 증명해준다.

1915년 평양 부근 대동군의 유복한 가정에서 태어난 황순원은 다섯 살 때 아버지가 삼일운동으로 감옥살이를 하자 어머니와 단둘이 지내면서 느꼈던 '고독증'이 훗날 문학적 자양분이 되었음을 고백했다. 그걸 보면 그에게는 남다른 감수성이 있었던 것 같다. 당시로서는 감히 생각지도 못할, 스케이트를 타고 축구도 하고 바이올린 레슨을 받으며 자라던 그는 체중을 조절하기 위해 열두서너 살부터 소주를 마시기 시작하여 문학보다 먼저 알았던 소주와 평생지기로 지내며 문학의 밭을 일구었다.

정주 오산학교에 잠시 다닐 때 남강 이승훈 선생을 만났던 황순원은 그의 기개와 인품에 반해 훗날 단편 〈아버지〉에 감회를 서술하기도 했다.

그는 숭실중학으로 전학하던 해인 1930년 시를 쓰기 시작했고, 이듬해에 처녀시 〈나의 꿈〉을 《동광》에 발표한다.

꿈. 어젯밤 나의 꿈. 이상한 꿈을 꾸었노라.
세계를 짓밟아 문지른 후
생명의 꽃을 가득히 심으고,
그 속에서 마음껏 불렀노라

언제든지 잊지 못할 이 꿈은
깨어 흩어진 이 내 머리에도
굳게 못 박혔노라

다른 모든 것은 세파에 스치어 사라져도 나의 동경의 꿈만이 존재하나니.

황순원의 작품들

중학교를 졸업하고 일본으로 유학을 갔던 황순원은 와세다 제2고등학원에 다니던 이해랑, 김동원 등과 함께 '동경학생예술좌'를 창립하고, 이 단체 이름으로 자신의 첫 시집《방가》를 내는데, 방학 때 귀국했다가 검열을 피하기 위해 동경에서 시집을 냈다는 이유로 29일간 구류를 살기도 한다.

시를 쓰던 황순원은 1937년《창작》 3집에 〈거리의 부사〉를 발표하면서 소설가로도 활동하기 시작한다. 그리고 이듬해 와

경기도 양평에 조성된 황순원과 아내 양정길의 묘

세다대 영문과를 졸업한 그는 1940년 "시가 없어 뵈는 나 자신에 대해 소설로써 내게도 시가 있다는 확인을 해보"일듯 시인의 체취가 강하게 드러난 서정성의 세계를 보여주는 작품들을 묶어 첫 작품집《황순원 단편집》을 상재한다.

이 해에 황순원은 "평양 기림리 모래터의 ㄱ 자 집 뒤채의 서재"에서 지음지기인 원응서를 만난다. 이 집은 훗날 작품집《기러기》의 공간적 배경이 되는데, 여기에 실린 작품들 대부분은 원응서를 만나고 나서 쓴 것들이지만 일제의 한글 말살 정책으로 발표하지 못하고 "그냥 되는 대로 석유 상자 밑이나 다락 구석에 틀어박혀 있을 수밖에 없었"다가 1951년에야 작품집으로 묶어낸다. 1973년 원응서가 먼저 저승으로 떠나자 황순원의 상실감은 이루 말할 수 없었다고 한다.

일제에서 해방은 되었으나 지주 계층이라는 이유로 신변의 위협을 느끼자 1946년 그는 가족들과 함께 월남하여 서울고 국어 교사가 된다. 이 무렵 황순원은 장편소설을 발표하기 시작하여 1950년 첫 장편《별과 같이 살다》를 펴낸다.

그가 〈소나기〉를 발표한 것은 1953년 5월이었다.《신문학》제4집에 발표한 이 작품은 이후 황순원이란 작가를 일약 '국민 작가'로 만들며 지금도 많은 사람들에게 회자되고 있다.

1957년 경희대 교수로 자리를 옮긴 그는 이후 단 한 번도 좌고우면하지 않고 오직 작품을 쓰고 후학을 가르치는 일에만 몰두했다. '작가는 작품으로 말한다'는 신념 아래 일체의 잡글을 쓰지 않았고, 박사 학위마저 마다하는 한편 신춘문예 심사에서 제자의 작품이 마지막 경합을 벌일 때 다른 심사위원의 결정에 동의하고는 모두 결정된 뒤에야 제자 작품이었음을 고백하는 선비였다.

일생을 작품에만 매달려온 진정한 작가란 무엇인지 그 전범을 세운 황순원. 그는 2000년 9월 14일 여든여섯의 나이로 이승에서의 삶을 마치고 '비탈진 언덕에 선 나무들' 곁으로 떠났다. (2015년 9월)

법정

무소유를 실천한 에세이스트

1932. 10. 8.~2010. 3. 11.

10월이면 오대산은 가을 옷으로 갈아입을 채비를 하고 있을 것이다. '오대산'과 '가을'이란 두 낱말에서 자연스럽게 '단풍' 얘기를 하려고 한다고 짐작할지도 모르겠다. 그러나 그건 매우 빗나간 예측이다. 우리가 여기서 만나는 '그리운 그 작가'를 상징하는 여러 열쇳말 중의 하나가 '오대산'이기에 그렇게 표현한 것이다. 법정 스님은 바로 '오대산'에서 '무소유'를 실천하다 이승에서의 삶을 마친 작가였다.

혹자는 법정 스님을 〈그리운 그 작가〉에서 만나는 것에 대해 딴지를 걸지도 모르겠다. 그는 종교인이지 작가가 아니라면서. 그는 종교인이다. 또한 그는 에세이스트였다.

그가 독자들에게 울림을 준 건 '삶'에 관해 쓴 에세이였다는 점에서 '작가 중의 작가'였다는 평가에 이의를 달 사람이 거의 없을 듯싶다. 그렇다면 여기서 법정 스님을 만날 수 있는 정당성은 확보된 셈이다.

법정 스님 하면 떠오르는 으뜸 열쇳말은 단연 '무소유'일 것이다. 혹자는 '무소유'라는 낱말의 본뜻에 너무 집착한 나머지 "아무 것도 갖지 않는 것"으로 이해할 수도 있다. 그러나 그는 '무소유'의 의미에 대해 "아무 것도 갖지 않는다는 것이 아니라 불필요한 것을 갖지 않는 것"이라고 설명했다.

그렇다. 아무 것도 갖지 않고는 삶을 영위할 수 없다. 그런 점에서 법정 스님의 말씀은 혹 인간이기에 가질 수 있는 탐욕을

汎友에세이選 15

法 頂 著

無 所 有

汎 友 社

법정을 스타 작가로 만든
《무소유》표지

경계하라는 의미로 받아들여진
다. 그래서 그가 '자족과 절제로
얻어지는 심리적 상태'를 '맑은
가난' 또는 '텅 빈 충만'이라고
바꿔 불렀을지도 모른다.

　1932년 10월 8일 전남 해남
에서 태어난, 속명이 박재철인
스님은 일찍 아버지를 여의는 등
어려운 가정환경 속에서 자란다.
'등대지기'의 꿈을 키우던 박
재철은 고등학교를 졸업하고 전
남대 상대에 진학했지만 같은 민
족끼리 총부리를 겨누는 한국전쟁을 보고는 '인간이란 무엇인
가' 하는 실존적 고민에 빠진다.

　그래서 그는 출가를 결심하고 집에서 멀리 떨어진 오대산으
로 가다 한 스님의 권유로 서울 선학원에서 주석하던 효봉 스
님을 찾아가 고민을 털어놓는다. 그리고 불가에 몸을 의탁한다.
법정이란 법명도 받는다.

　"삭발하고 먹물 옷으로 갈아입고 나니 훨훨 날아갈 것 같"아
그 길로 "밖에 나가 종로통을 한 바퀴 돌았었"던 법정 스님은 법
명을 받은 다음 날 통영 미래사로 내려가 땔나무를 담당하는 부
목으로 행자 생활을 시작한다.

법정의 작품집들

　당시 출가했던 고은 시인과 함께 공부하기도 한 그는 이듬해 사미계를 받은 후 지리산 쌍계사를 거쳐 1959년 양산 통도사에서 자운 스님을 계사로 비구계를 받았고, 해인사 전문강원에서 명봉 스님을 강주로 대교과를 졸업한다.

　법정 스님에게 있어 효봉 스님은 '무소유'의 가르침을 준 부모와 같은 스님이다. 일제 강점기 우리나라 1호 판사였던 그는 자신의 판결로 사람의 목숨이 왔다 갔다 한다는 점에 충격을 받고 엿장수로 떠돌다 불가에 귀의한 인물이다. 그는 법정이 쌀을 씻다가 실수로 수챗구멍에 흘린 몇 알마저 다 주워 먹게 할 만큼 혹독하게 가르쳤다.

　불교 사전 편찬 작업을 비롯하여 경전 번역을 하는 한편 민주화 운동에 참여했다가 인혁당 사건으로 충격을 받은 후 실존적 고민에 빠지자 법정 스님은 다시 수행의 길에 들어서고자

백석의 연인 김영한 씨의 시주를 받아 법정 스님이 창건한 길상사

1975년 출가 본사인 송광사로 내려와 뒷산에 불일암을 짓고 혼자 살기 시작한다.

그리고 이듬해, 지금은 절판이 되었지만 330만 부가 넘게 팔려나간 초대형 베스트셀러 《무소유》를 세상에 내놓는다. 김수환 추기경마저 "이 책이 아무리 무소유를 말해도 이 책만큼은 소유하고 싶다"고 할 만큼 전설을 만들어냈다.

이 책으로 불일암을 찾는 독자의 발길이 잦아지자 스님은 1992년 수필집 《버리고 떠나기》를 출간한 후 훌쩍 오대산으로 들어간다. 스님은 화전민이 살다 두고 간 오두막을 '수류산방'이라 이름 짓고, 수도와 전기 같은 문명의 이기를 멀리하고, 땔감을 하고 의자와 침상을 만들고 흙방을 손수 지으면서 청빈한

길상사에 마련된 법정 스님 추모당

삶을 산다.

법정 스님은 1994년 순수 시민 단체인 '맑고 향기롭게'를 발족하고, 본격 대중 강연에 나선다. 그렇게 시작한 '맑고 향기롭게'는 지금껏 "부처님의 가르침을 바탕으로 우리의 마음과 세상과 자연을 본래 모습 그대로, 맑고 향기롭게 가꾸며 살아가기 위한" 실천행을 도모하고 있다.

법정 스님의 이름이 또 한 번 세상에 크게 회자된 것은 스님의 무소유 사상에 감동을 받은 시인 백석의 연인 김영한 여사가 7천여 평의 대원각을 시주하여 1997년 '맑고 향기롭게 근본도량 길상사'를 창건하면서다. 평생 주지할 생각이 없었던 그였기에 "1000억 원 대의 재산은 백석의 시 한 줄에도 못 미치는 것"

법정 스님이 손수 지었던 불일암

이라는 김영한 씨의 보시를 수차례 거절하기도 했다고 한다.

스님은 2010년 3월 11일 폐암으로 세수 79세, 법랍 56세를 일기로 입적한다. 열반에 들면서 스님은 "많은 사람에게 폐만 끼치는 일체의 장례 의식을 행하지 말라"는 추상같은 당부와 함께 "그동안 풀어놓은 말빚을 다음 생에 가져가지 않으려 하니 부디 내 이름으로 출판한 모든 출판물을 더 이상 출판하지 말라"는 유언을 남긴다.

이제, 스님, 아니 작가 법정은 갔다. 그리고 그의 책도 더 이상 출간되지 않는다. 그러나 그의 책은 여전히 우리의 마음속에 영원히 남아 있다. (2015년 10월)

마해송

우리나라 최초 창작 동화를 쓴 작가

1905. 1. 8.~1966. 11. 6.

부모의 강요로 열셋의 나이에 일찍 혼인을 하였던 소년. 개성 출신이었던 그는 경성에서 고보를 다니던 터여서 자주 기차를 타고 고향엘 가곤 했는데, 어느 날 기차에서 네 살 연상의 순이를 만난다. 그러나 순이와의 사랑은 이루어질 수 없는 '염문'이 되고, 되레 집에 갇히게 된다. 그러자 소년은 동화 속에서나마 아름다운 사랑을 키운다. 소년은 '바위나리'가 되고, 순이는 '아기별'이 되어서.

시리고 애틋한 이 연애의 주인공은 동화 작가 마해송이다. 애기가 나온 김에 그의 고백을 직접 들어보자.

"왕의 폭력에 의해서 사랑이 끊기었고, 사랑이 끊기었기 때문에 빛을 잃었으나, 한 번 죽은 다음 바다 속에서 사랑이 되살매 잃었던 빛을 도로 찾고 꽃도 새로운 생명을 찾았다."

– 《아름다운 새벽》 중에서

"아버지의 꾸중으로 지금 집에 박혀 있으나 사랑은 끝내 이길 것"이라는 다짐을 갖고 있었던 마해송은 "어른은 언제까지나 어린이를 소견 없는 철부지로 생각하지만 어린이도 사람이며 생각도 지각도 있으니 사람대접을 하라"는 애절한 기원을 이 작품에 담았다고 했다.

이 경험은 작가 마해송의 삶에 결정적인 영향을 미쳐 그가 평

1963년 경의 마해송(왼쪽)

생 어린이문학과 어린이 운
동에 헌신하는 밑거름이 되
었다.

'마해송' 하면 우리는 우
리나라 최초로 창작 동화를
쓴 작가로 기억한다. 그는
1920년대 초반 전래 동화
에 기대어 개작하던 수준이
었던 우리나라 아동문학을
작가의 개성과 문학성 짙은
'작품'을 발표하면서 창작
동화의 새 길을 연다.

1905년 1월 8일 개성의
부유한 상인 집안에서 태
어난 그의 본명은 상규였다. '조선 소나무'라는 의미의 해송
(海松)은 일본에서 연극동우회 활동을 하던 열여섯 살부터 썼
다고 한다.

여섯 살부터 서당에 다니며 한문 공부를 하던 그는 고향에
서 보통학교를 졸업하고 열네 살에 서울 중앙고보에 들어갔지
만 일본인 교사 전입 반대 동맹휴학을 주동하여 퇴학을 당했다.
이 무렵 고한승, 진장섭 등과 함께 문학동인지《여광》을 창간했
던 그는 보성고보로 편입했으나 역시 동맹휴학으로 졸업을 하

서울 종로구 명륜동3가에 자리 잡은 마해송이 살던 한옥집

지 못한 채 일본으로 건너가 니혼대학 예술과에 입학한다. 일본
에서 순이를 다시 만나 잠시 동거하기도 했던 그는 조선인 유학
생 모임인 철권단이 보낸, 공부는 뒷전이고 연애만 한다는 고자
질 편지로 가택 연금을 당하게 된다. 그리고 문제의《바위나리
와 아기별》(1923년)을 쓴다.

　1924년 다시 일본으로 건너간 마해송은 어머니의 갑작스런
죽음에 충격을 받아 술타령만 하다 폐병을 앓기도 했다.

　방정환이 주도하던 색동회 회원으로 활동하는 한편 그는 소
설가 기쿠치 칸(菊池寛, 일본 근대문학의 대표 작가로《진주부인》등
을 발표)의 도움으로 그가 세운 문예춘추사에 들어가 성공적인
편집자의 길을 걷는다. 청소년 오락 월간지《모던니혼》을 편집

문학과지성사에서 펴낸 마해송 전집

하던 그는 문예춘추사의 사장까지 지내며 《모던니혼》을 10만 부 이상 발행하는 잡지로 키워낸다. 그러면서 그는 《어머님의 선물》 《토끼와 원숭이》(연재 도중 총독부 검열로 인해 압수당해 중단되기도 함) 등 창작동화를 발표한다.

1937년 "유난히 시선을 끄는 수려한 풍모의 미청년"인 마해송은 무용 발표회 홍보를 위해 신무용가 조택원과 함께 찾아와 인연이 된 열 살 아래 박외선(전 이화여대 교수)과 결혼한다.

1944년 마해송은 도쿄에 폭격이 심해지자 가족들을 서둘러 먼저 귀국시키고 자신은 1945년 1월에 귀국한다. 이때부터 마해송은 대학이나 신문사 같은 곳곳에서 함께 일하자는 제의가 왔지만 적합한 자리가 아니라며 모두 거절하고 특별한 직업을 갖지 않고 전업 작가의 길을 걷는다.

1948년 그는 《자유신문》에 중편동화인 〈떡배 단배〉를 연재하였는데, 이 작품은 8년 동안 다섯 번이나 인쇄될 만큼 베스트

경기도 파주시 출판 단지에 세워진 마해송 문학비

셀러가 되었다고 한다.

한국전쟁이 나자 피난지 대구에서 시인 조지훈 등 16명의 문인들과 종군문인단 '창공구락부'를 결성하고 단장으로 활동하기도 했던 그는 이들과 함께 술집으로 다방으로 발길을 옮기며 문학 얘기, 음담패설, 음주철학 등에 대해 '썰'을 풀기도 했다. 마해송은 "됫박으로 쌀을 사다 먹는 주제에 무슨 양주 호강이냐"며 소주만 마셨다고 한다.

자유당 정권 시절에는 장편동화《모래알 고금》을 통해 사회 부조리와 혼란스런 사회상을,《꽃씨와 눈사람》을 통해서는 부정부패가 극에 달한 정부의 붕괴를 경고하기도 했다.

한국전쟁 당시 발표한《앙그리께》를 통해 민족과 사회에 대한 비판적 자기 인식을 드러내기도 했던 마해송은 1954년 강소천, 이원수, 한정동 등과 함께 '한국아동문학회'를 창립하고, 1957년 '대한민국 어린이헌장' 초안을 썼을 만큼 평생을 어린이를 위해 작품을 썼다.

1966년 마해송은 대학 시절 시인으로 데뷔한 아들 마종기의 시가 실린 잡지《여원》을 사가지고 집으로 돌아오다가 뇌내출혈로 쓰러져 이승에서의 삶에 마침표를 찍었다. 그는 작고하기 1년 전 이렇게 유서를 미리 써놓았다고 한다.

"공교롭게도 재주도 덕도 부족한 몸으로 외롭다는 인생을 외롭지 않게 제법 흐뭇하게 살고 가게 해주신 여러분께 감사합니다." (2015년 11월)

최명희

바위에 새기듯 소설 쓰다 간 작가

1947. 10. 10.~1998. 12. 11.

"일필휘지란 걸 믿지 않"는 작가가 있었다. 그래서 그는 "원고지 칸마다 나 자신을 조금씩 덜어 넣듯이 글을 써내려 갔다." 그는 벽초 홍명희의 《임꺽정》에서 시작되어 박경리의 《토지》, 황석영의 《장길산》, 조정래의 《태백산맥》으로 이어지며 우리 문학사를 풍성하게 가꿔주는 대하소설의 마지막 계보를 장식한 《혼불》을 쓴 최명희이다.

"그다지 쾌청한 날씨는 아니었다"로 시작해 "그 온몸에 눈물이 차오른다"로 끝은 맺은 《혼불》은 200자 원고지 1만 2000장에 달하는, 17년이란 세월을 머금으며, 말 그대로 굽이굽이 흐르는 큰강(大河)처럼 흘러온 대장정의 산물이었다.

 알다시피 《혼불》은 전북 남원의 몰락해가는 '매안 이씨' 문중을 공간적 배경으로, 일제 식민 통치로 암울했던 1930년 말부터 1943년 봄까지를 시간적 배경으로 삼아 무너져가는 종가를 지키며 일으켜 세우는 종부 3대와 그 이씨 문중의 땅을 부쳐 먹고사는 거멍굴 상민들의 고난과 애환을 그린 작품이다.

 작가 최명희에게 있어 《혼불》은 그의 전부였다. 어렸을 때 어른들에게서 들었던 '혼불' 이야기에 매료됐던 그는 이걸 작품으로 쓰기로 맘먹고는 자신의 모든 걸 다 바쳤다.

 "평생 소설을 쓰렵니다. 줄 타는 광대가 광대로서 사는 것은

전주시 풍남동에 자리 잡은 최명희의 생가 터

그의 몸에서 돌아가는 피가 그를 부르기 때문이지요. 나도 내 몸에서 피가 나를 부르기 때문에 소설을 쓰는 것이지요.”

1981년《동아일보》창간 60주년 기념 장편소설 공모에 당선 됐던 최명희가《여성동아》와의 인터뷰에서 밝혔던 이 말보다 더 절절하게 그의 작가 정신을 말해줄 수 있는 표현이 있을지 모르겠다.

1947년 10월 10일(음력) 전북 전주시 화원동(현 풍남동) 3가 76-26번지에서 태어난 최명희는 중학 시절 생활기록부에 문예에 소질이 있다고 적혀 있는 것으로 보아 일찍이 글재주가 있었음을 알 수 있다.

전주 기전여고 3학년 때 쓴 수필 ‘우체부’가 당시 고등학교

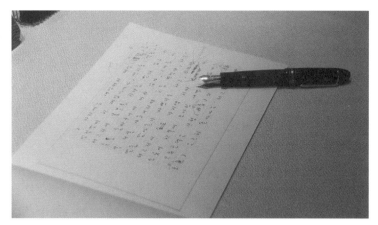

만년필로 한 칸 한 칸 글을 쓴 최명의 육필 원고

작문 교과서에 실렸을 정도였다. 대학 시절 그가 다니던 전북대는 물론이거니와,《숙대신보》에서 주최하는 대학문학상을 받는 등 그의 문재는 이미 검증받았다. 하지만 "구성이 너무 완벽해서 흠"이란 평을 들은 데 충격을 받아 그는 10여 년간 절필을 하기도 했다.

이 기간이 바로 모교인 전주 기전여고와 서울의 보성여고에서 국어교사로 학생들을 가르치던 시기였다. 그러나 그의 몸에 흐르는 소설가로서의 재능은 결국 그를 다시 원고지 앞으로 불러냈고, 그의 손에 만년필을 쥐어줬다. 그리고 그는 1980년《중앙일보》신춘문예 소설 부문에 응모하여 〈쓰러지는 빛〉으로 당선, 기성 문단에 이름을 올린다. 그리고 이듬해 평생지기인 극작가 이금림의 권유로《혼불》집필을 위해 교사직을 그만둔다.

《혼불》의 작품 무대

　"날렵한 끌이나 기능 좋은 쇠붙이를 가지지 못한" 최명희는 "손가락으로 바위를 뚫어 글씨를 새기는 것"처럼 "온 마음을 사무치게 갈아서 손끝에 모으고, 생애를 기울여 한마디 한마디, 파나가"면서《혼불》을 썼다. 그리고《동아일보》가 창간 60주년을 기념하여 실시한 장편소설 공모에서 "한 시대(일제강점기)와 그 상황을 겪는 인간들의 모습, 가령 그들의 갈등이나 고통이 뚜렷한 주인공을 등장시키지 않은 채 잘 표현됐다"는 평을 받으며, 문단 사상 가장 많은 고료(2천만 원)를 받고 당선된다. 작가 최명희는 말했다.

"그것은 근원에 대한 그리움이다. 오늘의 나를 있게 한 어머니, 아버지 그리고 그 윗대로 이어지는 분들은 어디서 어떤 모습으로 살았는가를 캐고 싶었다."

최명희의 대표작《혼불》

《혼불》에 대한 평가는 다양하지만 무엇보다도 "전통문화를 치밀하게 복원한 데다 우리말을 풍부하게 되살렸다"는 것이 공통적인 것이었다.

화려하게 데뷔한 최명희는 1985년《전통 문화》지에 장편 〈제망매가(祭亡妹歌)〉를 연재하였으나 1부로 끝난 〈혼불〉 2부를 집필하기 위해 중단한다. 그리고 1988년 9월부터《신동아》에 〈혼불〉 2부부터 연재를 시작하여 1995년 10월까지 만 7년 2개월간 5부까지 집필하여 국내 월간지 사상 최장기 연재 기록을 세운다. 1권으로 시작한《혼불》은 작가 최명희에게 작업하던 서울 강남의 작은 아파트 이름을 따 '성보암보살'이란 이름을 붙여주며 10권짜리 대하소설이 되어 한국문학사의 한 페이지를 화려하게 장식한다.

"나라와 백성의 관계는 콩 꼬투리와 콩알 같은 것이라고 나는 생각한다. 비록 콩 껍질이 말라서 비틀어 시든다 해도 그 속에 든 콩은 잠시 어둠 속에 떨어져 새 숨을 기르다가 다시 싹 터 무수한 열매를 조롱조롱 콩밭 가득 맺게 하나니."

－《혼불》중에서

　연재 동안 교정도 꼭 자신이 직접 보았다는 그는 자신의 글을 누구도 손댈 수 없는 불가침의 영역으로 만들면서 "소리 내어 읽으면 그대로 판소리(문학평론가 유종호)" "수바늘로 한 땀 한 땀 뜬 이바구('이야기'의 방언)(소설가 최일남)"란 평가의 주인공이 된다.

　그러나 최명희는 〈혼불〉 5부를 집필하던 1996년 8월 암 발병 사실을 알지만 주위에 알리지 않은 채 작품을 완성시킨다. 그리고 그해 12월 모두 10권으로 완간되고 나서부터 최명희는 2년 가까운 세월 투병하다 "참으로 아름다운 세상을 살았다"는 마지막 말을 남긴 채 저승으로 건너갔다. (2015년 12월)

정채봉

눈처럼 해맑은 영혼을 가진 작가

1946. 11. 3.~2001. 1. 9.

'그리운 그 작가'를 추억하는 오늘(12월 3일), 그가 저 세상으로 가던 날처럼 함박눈이 내린다. 세태에 길들여져 세상을 바라보는 눈이 똑같아진 우리와는 다르게 바라봤던 그는 눈처럼 하얀 해맑은 영혼의 소유자였다. 그는 주변 장르에 머물던 '동화'라는 창을 통해 그 시선이 낯선 것이 아니라 우리가 잊고 있었던 것임을 깨닫게 하였다. 그는 동화 작가 정채봉이다.

장편 동화《오세암》의 작가 정채봉이 떠난 지도 벌써 15년이란 세월이 흘렀지만 그는 여전히 우리들 가슴에 '바람과 풀꽃'으로 남아 있다.

유고집《하늘새 이야기》에서 "동화로 시작해 동화로 생을 마감할 수 있어 감사한다"며 임종 직전까지도 손에서 작품을 놓지 않았던 정채봉. 그는 "동화가 세상을 아름답게 하고 동심이 세상을 구원할 것"이란 믿음을 갖고 동화 작가의 외길을 걸었다.

1946년 전남 승주의 작은 바닷가에서 이승과의 첫 인연을 맺었던 정채봉은 어머니가 여동생을 낳고 세상을 버리고, 아버지는 일본으로 건너가는 바람에 졸지에 고아 아닌 고아로 할머니 슬하에서 자랐다.

그래서 그는《초승달과 밤배》의 주인공 '난나'처럼 불우한 환경 속에서 자라지만 되레 외로움 때문에 '생각이 많은 아이'가 되어 나무와 풀, 새, 바다와 이야기하며 스스로 전설의 주인공

전남 순천시 해룡면 신설마을에 자리 잡은 정채봉의 생가

이 되어보곤 했다.

"엄마 아빠 없는 아이라서 그렇지"라는 말 듣기를 정말 싫어했던 그는 고등학교 진학은 꿈도 꿀 수 없었다. 일본에 계신 아버지로부터 오던 학비가 끊어졌기 때문이다.

이때 자존심 강한 사춘기 소년의 깊은 상처를 중학교의 은사가 어루만진다. 학비 전액을 면제받고 광양농고에 진학하여 온실 관리를 맡을 수 있도록 해준 것이다. 그러나 농업이나 화훼 같은 교과목이 적성에 맞지 않았던 그는 온실의 연탄불을 꺼뜨려 관상식물을 동사하게 만드는 사고를 친다. 이 일은 크게 상심해 있던 정채봉에게는 되레 전화위복이 된다. 학교에서 그에게 학교 도서실의 당번을 맡겼던 것이다.

도서실에서 새로운 세상을 발견한 정채봉은 고전을 중심으로 한 책의 바다에 흠뻑 빠졌고, 하루의 일상과 자신이 관찰한 사물에 대한 이야기를 써서 매일 친구들에게 편지를 보낸다. 아마 이때 쓴 수백 통의 편지가 습작이었고, 그렇게 그는 자신도 모르게 우연이라는 물결에 떠밀려 창작의 꿈을 키우게 된다.

대학에 들어가 국문학을 공부하던 정채봉은 유신 반대 등 민주화 운동이 거세게 일 때 현실 참여를 두고 갈등하는 문약한 지식인의 비애를 담은 글을 학교 신문에 실어 논란이 되기도 했다.

그가 정식 작가가 된 것은 대학 3학년 때인 1973년《동아일보》신춘문예를 통해서다. 소설과 동화 부문에 동시 응모하였는데, 소설은 마지막까지 갔다가 떨어지고, 동화 〈꽃다발〉이 당선되었다.

그런데 그가 당시 "마이너리그 끄트머리"쯤 되는 동화보다는 다시 메이저리그인 소설을 써보려고 할 때 누군가 생텍쥐페리의《어린왕자》를 읽어보라고 권유한다.

이에 그는 흔한 서양 동화책이겠거니 하고 누워서 읽다가 벌떡 일어나 자세를 고쳐 무릎을 꿇은 자세로 책을 읽는 자신을 발견한다. 그리고 그는 다짐한다. 동화에 승부를 걸어보겠다고.

하지만 그는 대학 졸업 후 '처자식을 먹여 살리기 위해' 10여 년 동안 동화에 손을 대지 못한다. 삼촌이 경영하던 섬유회사에 다녔던 것이다. 그러나 섬유회사가 3년 만에 망했다. 이때 한 선배의 소개로 잡지《샘터》와 인연을 맺는다. 그렇게 샘터에 뿌리를 박고 정채봉은 23년 동안 전설의 잡지를 편집한다.

정채봉의 전집

그러다 정채봉이 동화 작가로 거듭나게 된 것은 그동안 썼던 동화를 모아《물에서 나온 새》(1983년 대한민국문학상 수상)를 낸 지 10년 만에 발표한《오세암》때문이었다. 금강산 건봉사 말사에 전해 내려오는 설화를 바탕으로 쓴 이 동화는 동화의 주제와 소재를 확장한 기념비적 작품으로 평가받고 있다.

이후 정채봉은《샘터》에 '생각하는 동화'라는 독특한 장르의 글을 연재하면서 '성인 동화'를 개척하는 한편 방송 프로그램 진행자를 비롯하여 동국대 국문과 겸임교수 등 전방위적으로 활동하다 1998년 말 간암 판정을 받고 지루하고 힘든 투병 생활에 든다.

병마와 싸우면서도 정채봉은 동화와 소설 집필을 게을리하지 않았고, 그 결과《푸른 수평선은 왜 멀어지는가》로 소천문학상을 받는다. 그때 그는 이렇게 수상 소감을 밝혔다.

"중요한 것은 눈에 보이지 않습니다. 하느님이 그렇고 마음이 그러하며, 동심이 또한 그렇지 않습니까? 문학인의 사명은 보

순천문학관 내에 자리한 정채봉관

이지 않는 것을 보고 싶어 하는 사람들에게 보이게 하는 것일
것입니다."

그렇다. 그는 외눈박이인 우리들에게 두 눈이 있음을 알려
주었고, 아울러 두 눈으로 세상을 보게 해주었다. 병세가 점점
깊어지자 정채봉은 하나님께 세 가지 소원을 들어달라고 기
도한다.

"살면서 사막을 만들어왔는데 이 땅에 푸른 풀밭을 좀 더 넓
힐 수 있는 기회를 주시기를⋯."
"나의 어린 남매가 자기 둥지를 꾸며 떠날 수 있을 때까지 살
게 해주소서."

"아직 이루지 못한 미완성의 사랑을 완성으로 이끌 수 있기를…."

하지만 정채봉은 함박눈이 펑펑 내리던 2001년 1월 9일 이승에서 소풍을 마치고 하늘나라로 영원한 여행을 떠났다. 오늘같이 눈 오는 날이면 어김없이 그의 시 '첫 마음'이 생각나는 건 그리움이 사무치기 때문은 아닐는지.

1월 1일 아침에 찬물로 세수하면서
먹은 첫 마음으로 1년을 산다면,

학교에 입학하여 새 책을 앞에 놓고
하루 일과표를 짜던
영롱한 첫 마음으로 공부를 한다면,

사랑하는 사이가,
처음 눈을 맞던 날의 떨림으로
내내 계속된다면,
……

(2016년 1월)

오규원

한 그루 소나무가 된 시인

1941. 12. 29.~2007. 2. 2.

이 세상에 없어도 시도 때도 없이 불려나오는 시인이 있다. 신춘문예 당선자들의 얘기 속에서, 시절을 한탄하는 한숨 속에서, 문학잡지《문학과 지성》마지막 호 복간 소식 속에서 시인의 이름이 호명된다. 이렇듯 자주 사람들의 입에 회자되는 시인이라면 그만큼 우리 삶 속에 머물러 있는 시인이라는 의미일 터, 그리움 또한 더 크리라. 그는 '날(生) 이미지의 시인' 오규원이다.

"시는 쓰는 것이 아니라 사는 것"이라던 오규원 시인은 지금 강화도 전등사의 산비탈에 자리 잡은 수림원의 한 그루 소나무로 서 있다. 그가 거처를 강화로 옮긴 것도 2007년이니 벌써 올해로 아홉 해이다.

그러나 시인은 여전히 우리들의 '그리움' 속으로 들어온다. 삶이 고단하거나 현실의 무게가 감당하기 힘들 때면 더더욱 시인이 세운 "관념에서 해방된 시의 새로운 현상 공화국(산문 '날이미지의 시에 관하여')"으로 망명을 떠나게 만든다.

사람들은 오규원을 '한 잎의 여자'의 시인으로 기억한다.

한 잎의 여자 1

나는 한 여자를 사랑했네
물푸레나무 한 잎같이

쬐끄만 여자

그 한 잎의 여자를 사랑했네

물푸레나무 그 한 잎의 솜털

그 한 잎의 맑음

그 한 잎의 영혼

그 한 잎의 눈

그리고 바람이 불면

보일 듯 보일 듯한

그 한 잎의 순결과 자유를 사랑했네

정말로 난 한 잎의 여자를 사랑했네

……

오규원은 경남 밀양의 삼랑진에서 6남매 가운데 막내로 태어났다. 그의 이름은 규옥(圭沃). '규원(圭原)'은 필명이다.

아버지가 정미소를 운영하고 또 과수원까지 가꾸고 있어서 부족함 없이 어린 시절을 보냈던 그는 국민학교 때 어머니의 급작스러운 죽음과 한국전쟁을 겪으면서 유년기를 "열두 살로 끝"내고 "도시로 떠돌기" 시작한다.

부산의 중학교로 진학한 오규원은 누나 집에서 기숙하거나 형들과 자취를 하다가 일본 유학까지 하고 대본집을 운영하던 숙부 집에 얹혀 지내면서 숙부의 책으로 책 읽기에 빠진다. 그때 그는 시 비슷한 것들을 끄적거리기 시작한다.

오규원의 타계 1주기

중학교를 졸업하고 부산사범학교로 진학한 오규원은 실제 나이인 열아홉에 졸업하면서 "터무니없는 어린 나이에" 부산 사상국민학교 교사로 발령받는다.

그러나 "화단에서 처음 본, 달맞이꽃을 신기해하며, 한참 바라보고서야 현관을 들어섰"던 그는 교장이나 교감, 장학사들과 쉽게 타협하지 못해 자주 학교를 옮겨야 할 만큼 적응하지 못했다. 그러면서 그는 교사가 된 이듬해에 동아대 법학과에 진학하여 공부를 계속한다.

오규원이 시인이 된 것은 1968년《현대문학》을 통해서다. 그는 애초 1964년 신춘문예에 응모했다가 낙선하자 습작품을 정리해《현대문학》에 투고한다. 이때 그의 투고작을 눈여겨본 김현승 시인에 의해 추천을 받게 된다.

추천 사실을 모르고 군에 입대했던 오규원은 대구 군의관학교에서 훈련을 받던 중 자신의 시 〈겨울 나그네〉가 실린《현대문학》을 접하면서 그 사실을 알게 된다. 이렇게 시작된 그의 통과의례는 1967년 〈무게의 시〉로 2회 추천, 그리고 1968년 〈몇 개의 현상〉으로 추천을 완료(당시 문학지 추천 등단은 3회 추천을 받아야 시인으로 대우했다)하며 "감성과 지성을 갖춘 신인"으로 평가받으며 문단에 나온다.

1969년 동아대를 졸업한 오규원은 한림출판사에 들어가면서 책 만드는 일을 본격적으로 하는 한편 1971년 첫 시집《분명한 사건》을 상재한다. 그러나 오규원은 그해 기형도 시인이 먼저 둥지를 틀었던 "서울특별시 개봉동으로 편입되지 못한 경기도 시흥군 서면 광명리"로 이사하는 한편 직장을 태평양화학 홍보실로 옮긴다.

오규원은 1979년 그동안 "밥을 벌어먹고 살았던" 태평양화학을 그만두고 아예 출판사 '문장'을 차려 사장으로 변신한다. 이때 오규원은 사숙의 인연이 있는 '김춘수 전집'을 비롯하여 '이상 전집' 등을 펴내며 출판인으로 산다. 그러나 그의 전직은 여기서 끝이 아니었다. 1983년 출판사를 접고 서울예술전문대학 문예창작과 교수로 간 것이다. 이후 그는 '오규원 스쿨'에서 '오규원 시풍'을 조성하며 지금 한국 문단에서 활동하는 내로라하는 문인들을 배출한다. 신경숙, 장석남, 하성란, 천운영, 박형준 등이 그의 문하에서 치열하게 문학 수업을 쌓은 이들이다.

오규원은 시 안의 언어에 대한 자의식을 드러냈는데, 광고 언어를 패러디한 사회 풍자(《가끔은 주목받는 생이고 싶다》), 관념의 개입 없이 사물을 있는 그대로 묘사하는 '날(生) 이미지 시'를 선보였다. 그는 자신이 시에 대해 이렇게 말했다.

"제발 내 시 속에 와서 머리를 들이밀고 무엇인가를 찾지 마라. 내가 의도적으로 숨겨놓은 것은 없다. 이우환 식으로 말해, 있는 그대로를 있는 그대로 읽어라. 어떤 느낌을 주거나 사유케 하는 게 있다면 그것의 존재가 참이기 때문이다. 존재의 현상이 참이기 때문이다. 내 시는 두두시도 물물전진(頭頭是道 物物全眞)의 세계다. 모든 존재가 참이 아니라면 그대로 나도 참이 아니다(〈날 이미지의 시에 관하여 8〉)."

세속화에 대한 날카로운 풍자와 야유 때문일까, 신은 그를 일찍 데려가려 하였다. 1991년 그에게 폐기종 진단을 내린 것이다. 숨 쉬는 것에 불편을 느낀 그는 강원도 영월, 경기도 양평 등지에서 요양을 했다. 그러나 2007년 2월 2일, 16년의 투병 생활에 지친 그는 그를 찾아온 제자의 손바닥에 절명시를

오규원의 유해가 묻힌 강화도의 소나무

남기고 조용히 눈을 감았다.

한적한 오후다
불타는 오후다
더 잃을 것이 없는 오후다
나는 나무속에서 자본다

(2016년 2월)

홍명희

굴곡진 역사에 이름이 지워진 작가

1888. 5. 23.~1968. 3. 5.

소설 《임꺽정》을 모르는 사람은 없을 듯싶다. 드라마와 영화로도 나와 뜨거운 사랑을 받았던 터이리라. 그러나 혹자는 '임꺽정'을 작가의 이름으로 오해 아닌 오해를 할 만큼 이 작품을 쓴 작가 홍명희의 이름은 아직도 우리에겐 낯설다. 해방 이후 북한으로 간 탓일 것이다. 3월은 이런 홍명희와 시절 인연이 닿아 있다.

일제강점기 때 춘원 이광수, 육당 최남선과 함께 '조선의 3대 천재'로 불리던 이가 있었으니, 그가 벽초 홍명희다.

홍명희를 설명하는 단 하나의 키워드를 꼽으라면 백이면 백 소설《임꺽정》을 꼽을 수밖에 없을 터인데, 그의 작품《임꺽정》이 이 땅의 독자들에게 그만큼 깊이 각인돼 있다는 반증이기도 하거니와, 문학사적으로 큰 의미를 지니고 있기 때문이다.

《임꺽정》은 조선 명종 때의 의적 임꺽정을 주인공으로, 몰락 농민과 백정, 천인들을 규합하여 지배층의 수탈 정치에 대한 저항을 담고 있다. 요즘 흔한 말로 하면 '기득권층에 대한 응징' '금수저에 대한 복수'이다. 그래서 독자들은 대리 만족감에 열광했는지도 모르겠다.

아무튼 이런 민중의 아픔을 그려 독자들의 사랑을 받던 작가는 해방 공간에서 민족독립당 당수, 민족자주연맹 부의장으로서 좌우합작을 추진하던 중 1948년 평양에서 열린 남북조선제

충북 괴산읍 제월리에 자리 잡은 홍명희 고택

정당사회단체연석회의에 참가했다가 북에 눌러앉는다.

이후 북한에서 그는 내각 부수상을 비롯하여 과학원 원장, 조국평화통일위원회 위원장, 최고인민회의 상임위원회 부위원장 등 굵직한 직책을 두루 지낸다.

홍명희는 충북 괴산에서 태어났다. 그의 가문은 '남의 땅을 밟지 않고 살' 만큼 재산을 많이 가진 노론 계열의 풍산 홍씨 추만공파로, 영조의 아들 사도세자의 장인 홍봉한과 정조 때 인물 홍국영의 후손이다.

괴산읍 내에서 음성 방향으로 가는 다리를 건너면 오른쪽에 자리 잡은 그의 생가인 고대광실 기와집(홍범식 고택이라는 팻말이 있음)에서 그의 가세가 어떠했는지 짐작할 수 있다.

충북 괴산에 자리 잡은 홍범식 가옥으로 알려진 홍명희의 생가

세 살 되던 해 세상을 떠난 어머니를 그리워하며 여덟 살에 지은 한시에서 "쉬파리는 해마다 생겨나는데 내 어머니는 어이하여 돌아올 줄 모르나(蒼蠅年年生 吳母何不歸)"라고 문재를 뽐내던 홍명희는 중교의숙을 졸업하고, 고향에서 중국의 경전을 탐독하다 1905년 양잠 기술을 전수하러 온 일본인 부부를 따라 도쿄 유학을 떠난다.

학교 공부에는 그다지 열성을 보이지 않았던 홍명희는 책만큼은 많이 읽었다. 특히 문학을 좋아해 도스토옙스키나 톨스토이에 깊이 매료되기도 했다. 또 영국의 낭만파 시인 바이런의 시를 좋아해 자신의 호를 그의 시 〈카인〉에서 따와 '가인(假人)'이라고 짓기도 했다. 그는 또 도쿄에서 유학하며 문일평, 최남

홍명희가 〈임꺽정〉을 연재하던 《조선일보》 지면

선, 이광수, 최인 등과 어울려 다니며 민족 독립심을 고취하기도 했다.

1910년 홍명희는 공부를 그만두고 도쿄에서 귀국하여 고향에서 지내며 러시아 유학을 준비하고 있었는데, 그해 8월 29일 경술국치가 일어나자 아버지 홍범식이 집무실 벽에 '국파국망불사하위(國破國亡 不死何爲, 나라가 파멸하고 임금이 없어지니 죽지 않고 무엇하랴)'라는 유서를 붙여놓고 뒤뜰 소나무에 목을 매 자결했다. "죽을지언정 친일을 하지 말고 먼 훗날에도 나를 욕되게 하지 말라"는 아버지의 유언을 가슴에 새긴 홍명희는 삼년상을 치르고 북간도로 가서 여러 곳을 방랑하며 독립운동을 한다.

1918년 귀국한 홍명희는 고향에서 지내다 삼일운동이 일어나자 만세 운동을 주도하다 검거돼 1년 6개월 동안 옥살이를 겪기도 한다.

이후 그는 가족을 이끌고 서울로 올라와《동아일보》,《시대일보》등에서 주필과 사장을 하기도 하고, 오산학교 교장을 지내는 등 바쁘게 살았다.

사계절출판사가 펴낸《임꺽정》표지

일약 그의 이름이 사람들의 입에 회자되게 된 것은 소설 〈임꺽정〉 때문이었다. 〈임꺽정〉은 1928년 11월부터《조선일보》에 연재되기 시작한다. 1929년 신간회 결성에 주도적으로 역할을 했다가 검거돼 감옥에 갇혀 연재가 중단되자 독자들이 경찰서로 몰려가 그의 석방을 요구할 정도로 인기를 끌었다.

그러나 일제의 광기가 점점 심해지자 마포 대흥동, 양주 창동(현 서울) 등지로 이사를 하며 반 은둔 생활을 하던 그는 모든 집필 활동 중단과 함께《임꺽정》연재도 1938년 7월 중단한다. 그리하여 이 작품은 지금까지 미완의 상태로 남아 있다.

《임꺽정》에 대한 찬사가 이어졌다. 이극로는 "깨끗한 조선말

어휘의 노다지가 쏟아지는 것을 종종 발견할 수 있다"고 했고, 월탄 박종화는 "조선 사람이라면 잊어버릴 수 없는 구수한 조선 냄새가 배어 있다"고 했다. 또 이 작품은 박경리, 황석영, 조정래 등에 의해 여러 대하소설이 나오는 데 적잖은 영향을 미쳤다.

《임꺽정》은 1985년 1판이 사계절출판사에서 출간되었지만 판매 금지를 당했고, 1991년 10권짜리 2판이 나오면서 비로소 많은 독자들과 만나기 시작했다. 2008년 홍명희 탄생 120주년과 서거 40주년, 연재 80주년을 맞아 개정판이 나와 오늘에 이르고 있고, 지금까지 130여만 부가 판매되었다.

해방 이후의 그의 삶은 앞에서 요약한 대로다. 1968년 3월 5일 여든한 살을 일기로 이승에서 삶은 마감한 홍명희. 그러나 이 땅에는 그의 작품만 남고 이름은 없어졌다.

요 몇 년 새 그의 고향에서 치르려던 '홍명희문학제'를 여니 못 여니 하며 실랑이가 있다는 소식이 아직도 우리가 여전히 분단 시대에 살고 있다는 자각을 깨우쳐주고 있어 씁쓸하다.

(2016년 3월)

이상

멜론은 드셨는지요?

1910. 8. 20.~1937. 4. 17.

"폭풍이 눈앞에 온 경우에도 얼굴빛이 변해지지 않는 그런 얼굴"을 지닌 시인이 있었다. 스스로를 "박제가 된 천재"라 불렀던 그는 "걷던 길을 멈추고 어디 한 번 이렇게 외쳐보고 싶"어 했다. "날개야 다시 돋아라./ 날자. 날자. 날자. 한 번만 더 날자꾸나./ 한 번만 더 날아 보자꾸나." 그 시인은 난해하기만 한 시들을 남긴 이 상이다.

시인 '이상(李箱)'을 모르는 이는 없을 듯싶다. 그의 시 〈오감도〉가 교과서에 실린 터여서, 그의 본명이 '김해경(金海卿)'이고, 소설 〈날개〉를 썼고, 모던 걸 변동림(卞東琳, 1916~2004)과 뜨거운 연애를 했고, 다방 '제비'를 운영하기도 했다는 정도의 상식은 주워섬길 수 있다. 그래서 사람들은 그를 잘 아는 시인으로 생각한다. 과연 그럴까. 그는 그의 시만큼이나 우리들에게 낯선 시인이라면 나의 과문함 탓일까.

이상은 일제가 우리나라를 실질적으로 지배해오다 공식적으로 강제 합방하던 해인 1910년 8월 20일(음력) 서울 사직동에 있던 궁내부 활판소에서 일하다 손가락 세 개를 잘린 후 이발소를 차린 김연창과 박세창의 맏이로 태어났다. 그러나 그는 세 살 때 아들이 없던 큰아버지 김연필에게 양자로 입적되어 강릉에서 어린 시절을 보낸다.

양자 입적은 그에게 있어 친부모든 양부모든 모두를 가까이

서울 통인동에 자리 잡은 이상이 살던 집

하지 못하는 벽이 되었고, 그 벽은 정신적 성장에 적잖은 걸림
돌로 작용했다.

　하지만 집안이 넉넉한 데다 교육열까지 높은 큰아버지의
후원에 힘입어 신명학교와 경성(서울)의 보성고보를 다닌다.
체조를 싫어하고, 보성고보 시절 유화 '풍경'으로 상을 받을
만큼 그림을 그릴 때는 '강신'한 것처럼 눈빛이 빛났다던 그
는 "세태가 아무리 바뀌어도 기술자는 배곯지 않는다"는 큰
아버지의 바람대로 식민지 건축 기술자 양성 학교인 경성고
등공업학교 건축과에 들어간다. 이 무렵 이상은 교지《난파
선》을 만들면서 문학에 대한 관심이 커졌고, 몸과 마음을 갉

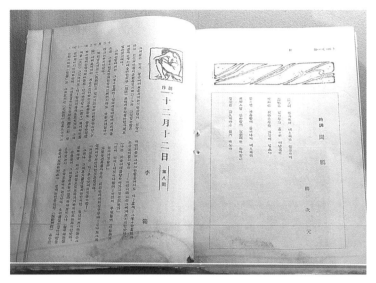

이상의 작품 〈12월 12일〉의 첫 회가 실린 책

아먹었던 폐병이 발병했다고 한다.

1929년 건축과를 졸업하고 '수석 졸업'의 특례로 조선총독부의 건축 기사가 된 이상은 이 무렵 시와 소설을 쓰기 시작한다.

"몇 번이나 찾아왔"던 자살이 "이 무서운 기록을 다 써서 마치기 전"까지는 찾아오지 않기를 바라면서 이상은 "나의 최후의 칼"인 펜으로 첫 장편소설《12월 12일》('12'의 발음 '십이'를 강하게 발음하면 성기의 다른 뜻이 되어 조선총독부와 일본제국을 향한 욕설이라는 의미라고도 함)을 1930년에 발표한다.

아울러 그는 처녀시 〈이상한 가역반응〉 등을 《조선과 건축》

절친 구본웅이 그린 이상의 모습

지에 발표하는 한편 조선미전에 서양화 '초상화'를 출품해 입선한다.

1932년 《조선》에 단편소설 〈지도의 암실〉을 발표하면서 '비구(比丘)'라는 익명을 썼던 그는 시 〈건축무한육면각체〉를 발표하면서 '이상'을 필명으로 처음 사용한다.

그의 필명 '이상'에 대해서는 여러 가지 설이 있으나 친구인 화가 구본웅에게 선물로 받은 화구 상자가 오얏나무로 만들어져서 '오얏나무 상자'란 의미의 '李箱'이라고 하였다는 증언이 있다.

1933년 각혈로 건축 기사직을 그만둔 그는 황해도 백천 온천으로 요양을 떠나는데, 거기서 운명의 여인인 기생 금홍(본명 연심)을 만난다. 나중에 서울로 올라온 이상은 박태원, 김기림, 이태준 등이 즐겨 찾아왔다는 '제비다방'을 열고 금홍을 마담으로 앉힌다. 이때 문학에 본격적으로 매달리기 시작한 그는 다방에 달린 '도스토옙스키의 방'에 틀어박혀 술만 마시거나, 저녁이면 잠깐 봉두난발로 밖으로 나다닐 뿐이었다. 특히 바람을

서울 송파 보성고 교정에 세워진 이상 시비

피우는 "금홍이를 도우려고 가끔 P군 집에 가 잤"다. 그는 이때 금홍과의 동거 경험을 담아 소설 〈날개〉를 쓴다.

1934년 이상은 30회 예정으로 《조선중앙일보》에 "13인(人)의 아해(兒孩)가 도로로 질주하오"로 시작하는 〈오감도(烏瞰圖)〉 연재에 들어간다. 하지만 너무 어렵다는 독자들의 빗발치는 항의에 굴복하여 15회로 연재를 중단하는 비운을 겪는다. 엎친 데 덮친 격으로 그는 경영이 어렵던 다방까지 폐업하고 연인 금홍과도 결별한다.

이후 '쓰루' '69' 등 카페를 열었으나 망하고는 잠적하듯 시골로 내려가 〈봉별기〉 〈지주회시〉 〈실화〉 등 많은 작품을 쏟아내던 그는 1936년 여류 문인이자 친구 구본웅의 이복동

생이었던 변동림(이상이 죽은 뒤 화가 김환기의 부인이 된 김향안)과 결혼해 새로운 출발을 한다. 이때부터 이상은 미친 듯이 글쓰기에 매달려 〈황소와 도깨비〉〈작가의 호소〉〈조춘점묘〉〈여상〉〈에피그램〉〈행복〉〈19세기 식〉 등을 쓴다.

하지만 이상의 무능함은 아내를 카페 여급으로 일하게 만들었고, 나아가 가족들을 맡겨놓고는 도쿄로 도피까지 했다. 하지만 도쿄도 〈종생기〉〈실화〉〈권태〉〈슬픈 이야기〉〈실락원〉〈동경〉 등을 집필하게 만들었지만 그에게는 안식처는 아니었다.

운 나쁘게도 그는 일본 경찰에게 '불령선인(불량한 조선 사람이라는 뜻)'으로 붙잡혀 옥살이까지 하게 된다. 반송장이 다 된 상태에서 보석을 허가받아 동경제대부속병원에 입원한다. 주지육림 속에서 방탕한 삶을 일삼던 이상. 1937년 4월 17일 새벽 4시, 결국 날지 못한 채 그는 아내 변동림의 품에 안겨 아내가 구해 온 레몬의 향기를 맡으며 이승에서의 삶에 마침표를 찍었다. 그는 아내에게 마지막 말로 "멜론이 먹고 싶소"라고 했다고 한다. 천재는 요절한다고 했던가. 시인 '이상' 역시 이 명제가 일반화의 오류가 없음을 입증하기에 충분할 만큼 짧게 살다 갔다. (2016년 4월)

박경리

펜 하나로 삶을 지탱한 대문호

1926. 10. 28.~2008. 5. 5.

5월은 한국문학사에 큰 획을 그은 작가와 시절 인연이 닿아 있다. 근대에서 현대로 이어지는 격동과 파란의 역사적 길목에서 우리 한국인들은 어떻게 그 고초를 살아냈는지 삶의 원형을 천착한 대하소설을 쓴 작가. 우리는 그에 '대문호'라는 칭호를 붙이는 데 주저하지 않는다. 이름하여 박경리.

박경리는 1926년 10월 28일 경남 통영군 통영읍 명정리(현 통영시 문화동 328-1)에서 아버지 박수영과 어머니 김용수 사이의 맏딸로 태어났다. 본명은 금이(今伊). 금이는 책상 밑에 소설책을 숨겨놓고 읽을 만큼 어려서부터 책 읽기를 유난히 좋아했다.

화물차 차부를 운영할 만큼 유복했지만 금이는 아버지의 딴살림에 상처를 받으면서 자랐다. 그는 어머니와 단둘이 살면서 진주여고에 진학했는데, 이 무렵 책방에서 쫓겨날 때까지 책을 읽을 만큼 시와 소설에 더 빠진다.

여고를 졸업한 금이는 통영의 우체국에 잠시 다니다 김행도와 결혼한다. 1948년 남편의 인천 전매국 취직으로 인천으로 이사한 그는 인천의 배다리마을에서 헌책방을 운영하며 딸과 아들 두 남매를 키우면서 단란한 시간을 보낸다. 1949년 서울로 이사한 금이는 수도여자사범학교를 졸업하고 황해도 연안여자중학교에 교사로 갔다가 한국전쟁이 나자 서울로 돌아온다.

강원도 원주에 자리 잡은 박경리가 살던 집

그런데 이때 피난을 못 떠나고 직장에 복귀했던 남편을 잃는다.

아버지에 이어 남편 복까지 빼앗긴 금이는 아이들을 데리고 고향 통영으로 내려가 수예점을 하며 생계를 이어간다. 그러다 다시 서울로 올라와 한국상업은행에 취직해 다니면서 본격적인 습작에 나선다. 1954년 한국상업은행 사보 《천일》에 장시 '바다와 하늘'을 발표하는가 하면, 퇴사 후인 1955년에 이 사보에 '박경리'라는 필명으로 소설 〈전쟁록〉을 게재한다.

아마도 박경리는 다음과 같은 고백으로 미루어보건대, 이런 불우한 환경을 문학적 텃밭으로 삼은 것이 아닐까 싶다.

"어머니에 대한 연민과 경멸, 아버지에 대한 증오, 그런 극단적인 감정 속에서 고독을 만들었고, 책과 더불어 공상의 세계를 쌓았다."

경남 하동에 자리 잡은 대하소설《토지》의 무대 중 최참판댁

　박경리가 아마추어에서 벗어나 프로 작가가 된 것은 우연한
기회였다. 고향 친구가 김동리 선생 댁에 세 들어 살았던 인연
으로 김동리의 지도를 받아 단편 〈불안지대〉를 여러 차례 고
쳐 썼고, 그러는 사이 본인도 모르게 김동리 선생이《현대문학》
1955년 8월호에 〈계산〉이라는 제목으로 게재하면서 1회 추천
한다. 그리고 이듬해 8월호에 단편 〈흑흑백백〉을 발표함으로써
2회 추천을 완료하여 문단에 공식 등단한다.
　1956년 박경리는 병원 치료를 받던 아들을 잃는 참척의 아
픔을 겪었는데, 이 이야기를 소재로 삼아 〈불신시대〉를 써서
1957년《현대문학》신인문학상을 받는다.
　이때부터 박경리 문학 시대가 본격 전개되기 시작했다. 1958
년 첫 장편 〈애가〉를 부산 민주신보에 연재하는 한편 이듬해에
는《표류도》로 내성문학상을 수상한다. 이후 박경리는《성녀와

《토지》의 육필 원고와 만년필

마녀》(1960년),《김약국의 딸들》(1962년),《전쟁과 시장》(1965
년) 등을 잇달아 발표하면서 문단의 주목을 받았다.

　박경리 문학에서 빼놓을 수 없는 작품이《토지》라는 것에 이
의를 달 사람은 없을 것 같다. 많은 독자들이 박경리는《토지》
한 작품만 쓴 걸로 오해 아닌 오해를 하는 경우가 많은데, 아마
도 이 작품이 갖는 무게감이 워낙 커서 그런 인식들이 생겨나지
않았나 싶다.

　《토지》의 전작이랄 수 있는, 강청댁과 용이, 월선이의 삼각관
계를 그린 〈약으로도 못 고치는 병〉을《월간문학》창간호에 발
표한 박경리는 1969년 9월부터 대하소설 〈토지〉 1부를《현대
문학》에 연재를 시작한다. 1971년 8월 유방암 수술을 받으면
서도 가슴에 붕대를 감은 채 손에서 펜을 놓지 않은 박경리는
1972년 9월까지 1부를 끝낸다. 곧이어 10월부터《문학사상》

연세대 원주 캠퍼스에 세워진 박경리 문학비

창간호에 〈토지〉 2부가 연재되기 시작하여 1975년 10월까지 이어진다. 〈토지〉 3부는 문예지가 아닌 성격이 다른 두 잡지 《주부생활》과 《독서생활》에 동시 연재되다 다시 문예지인 《한국문학》으로 옮겨 1979년 12월에 마친다. 3부가 끝나자 KBS에서 드라마로 방영하여 안방 시청자들의 눈을 붙잡았다.

　1980년 강원도 원주로 거처를 옮긴 박경리는 1981년 《마당》지에 〈토지〉 4부 연재를 시작하였으나 사정이 생겨 《정경문화》 《월간 경향》 등으로 옮기기도 하였고, 1992년 5월부터 5부를 《문화일보》에 연재를 시작하여 1994년 8월 30일에 끝냈다. 집필 26년 만에 200자 원고지 4만 장의 대장정이 마침내 끝난 것이다. 이런 과정의 산물이기에 《토지》에 대해 몇 마디 말로 평가하는 것은 큰 의미가 없을 듯싶다.

　그런 박경리는 《토지》를 비롯하여 《김약국의 딸들》 《파시》

등의 작품의 공간적 배경을 고향인 통영으로 삼았을 만큼 고향에 대해 짙은 향수를 갖고 있었지만 고향을 떠난 지 50년인 지난 2004년에야 고향을 방문할 만큼 고향과는 물리적 거리를 유지하며 살았다. 이에 대해 작가는 《한국일보》에 기고한 글에서 자신의 '기질' 탓이라며, "수줍음이 많아서 지금도 낯선 사람 만나는 게 힘들"다고 털어놨다. 그건 "잘나고 도도해서가 아니라" 자신이 워낙 그렇다고 했다.

그는 2008년 5월 5일 폐암으로 이승에서의 삶을 마감하고는 고향 통영의 미륵산 기슭, 바다가 보이는 양지녘에서 영면에 들었다. 이런 시를 남기면서. (2016년 5월)

빗자루 병에 걸린 대추나무 수십 그루가
어느 날 일시에 죽어 자빠진 그 집
십오 년을 살았다

빈 창고같이 휑덩그레한 큰 집에
밤이 오면 소쩍새와 쑥꾹새가 울었고
연못의 맹꽁이는 목이 터져라 소리 지르던
이른 봄
그 집에서 나는 혼자 살았다

- 〈옛날의 그 집〉 중에서

김동리

한국문학사에 우뚝 선 거목

1913. 11. 24.~1995. 6. 17.

우리의 현대문학사를 논하면서 시의 서정주(1915~2000)와 함께 소설에서 그의 이름을 빼놓을 수 없다. 한국문학의 수준을 한 단계 끌어올렸다는 평가와 함께 박경리, 이문구 같은 걸출한 작가들을 문학으로 이끈 그의 삶은 대하소설로도 다 쓰지 못할 정도로 크고 넓다(시인 이근배). 6월과 시절 인연이 닿은 그는 작가 김동리이다.

작가 김동리는 일부러 찾아 읽지 않았더라도 누구나 한 번쯤은 만났으리라. 일찍이 교과서에 그의 작품이 실렸기 때문일 터. 내가 그를 처음 만났던 것 역시 이와 다를 바 없는데, 몸에 금물을 입히던 장면만 오롯이 떠오르는 〈등신불〉을 통해서였다. 아울러 텔레비전에서 단막극 형태로 그의 작품을 방영했으니 보기 싫어도 보았을 개연성이 높다. 그래서 그를 요즘 말로 표현하면 '국민 작가'라 해도 손색이 없을 듯싶다.

김동리는 1913년 11월 23일 경북 경주에서 조금 떨어진 모화면 성건동에서 술꾼의 아들로 태어났다. 어머니 나이 마흔둘에 이 세상에 나온 그는 어머니가 밭일로 바빠 형수의 손에서 암죽을 먹고 컸는데, 두 살 무렵부터 술찌끼를 먹었다.

그는 독실한 신앙을 가졌던 어머니 손에 이끌려 교회를 다녔지만 술주정꾼 아버지의 훼방이 심했다고 한다. 부부싸움 중에 어머니가 이웃 교인의 집에 피신하곤 했었는데, 그 집에서 찬송

경북 경주에 자리 잡은 김동리 생가

가 소리가 들려오면 아버지는 "귀신 달아난다!"고 고함치고, 이웃집에선 "예수 믿읍시다! 예수 믿읍시다!"고 더욱 소리 높여 맞대응했음을 그가 훗날 쓴 〈무녀도〉에 묘사돼 있다.

경주 제일교회 부설 계남학교에 들어간 그는 공부보다는 야산이나 들판을 쏘다니기를 좋아했다. 그러나 글은 잘 쓰는 아이로 통했다. 6학년 때 교지에 쓴 '돛대 없이 배 탄 백 의인'이라는 글 때문에 일경에 불려가는 곤욕을 치렀을 정도.

그러나 대구 계성중학을 거쳐 서울 경신고로 진학한 그는 아버지의 작고로 인해 가세가 기울자 4학년 때 그만둔다. 그의 공식적인 제도권 학력은 여기까지다.

그러나 그는 "천장에 가득 닿도록 책이 쌓여 있는" 형의 서재에 틀어박혀 철학이나 세계문학, 동양 고전 등을 읽는 것으로

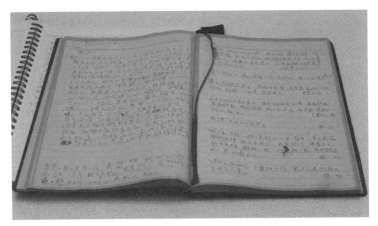

김동리가 쓰던 노트

중단한 학업을 대신한다.

그가 작가의 길로 나선 것은 1934년 신문의 신춘문예 공고를 보고서다. 이때 그는 모든 신문의 신춘문예 상금을 몽땅 탈 요량으로 한 달 만에 소설 3편, 희곡 2편, 시 3편, 시조 3편을 써서 응모하지만 시 〈백로〉만이 달랑 《조선일보》에 가작으로 뽑힌다. 자존심이 몹시 상했던 그는 절치부심해 이듬해 단편소설 〈화랑의 후예〉로 《중앙일보》에 당선된다. 그의 신춘문예 응모는 여기서 그치지 않아 단편소설 〈산화〉로 1936년 《동아일보》 신춘문예에 또 당선된다. 신춘문예 3관왕을 차지하며 그는 문단의 주목을 끌기 시작한다.

그러나 폭정이 심해지면서 일제는 그에게도 '문인보국회'에 가입하라고 강요한다. 하지만 거절하는 한편 몸담고 있던 학교

동향 출신 시인 박목월과 함께 기리는 동리목월문학관 중 동리문학관

가 폐쇄당하고,《문장》과 같은 문예지가 폐간되는 등 시절이 하수상해지자 그는 동네 건달들과 어울리기도 했다.

해방 뒤 그는 조지훈, 서정주, 황순원 등과 함께 '조선청년문학가협회'를 조직하여 우익 문학 진영을 대표하여 조선프롤레타리아문학동맹과 같은 좌익 문학 진영에 맞서기도 한다.

한편 잠시 건달 노릇할 무렵 함양에서 초등학교 교사를 하던 김월계와 결혼을 하였던 그는 부산 피난지에서 만나 사랑에 빠졌던 손소희와 1953년에 '불륜'이라는 손가락질을 받으면서도 두 번째 결혼을 한다. 그리고 그는 1967년 제자 서영은과 세 번째 결혼을 한다.

한국전쟁 직후 그는 서라벌예대에 출강하는 한편 1955년에

김동리의 작품들

는 한국전쟁 체험을 바탕으로 〈흥남철수〉를 발표한다. 1957년에 발표한 장편 〈사반의 십자가〉로 예술원상을 받기도 한 그는 문인단체 활동에도 적극 나선다. 1961년 한국문인협회 부이사장에 선임됐고, 그 이듬해 이 단체의 기관지인 《월간 문학》을 창간한다. 이후 그는 1970년에는 이 단체의 이사장, 1972년엔 서라벌예대 학장이 된다.

1977년 그는 부인 손소희와 함께 문학잡지 《한국문학》을 창간하면서 문학의 지평을 넓히는 데 나름 혼신의 힘을 기울였다.

장편 〈자유와 역사〉를 일흔다섯의 나이에 발표할 만큼 왕성한 창작욕을 불태우던 그는 1990년 7월 뇌졸중으로 쓰러진다. 이때부터 1995년 6월 17일 작고할 때까지 5년의 투병 생활은

세 번째 부인인 작가 서영은의 간병으로 이루어진다. 서영은
은 김동리의 세 번째 부인으로 삶이 체화되기까지의 과정을
그린 자전소설《꽃들은 어디로 갔나》(해냄)를 2014년에 내기
도 했다.

나는 오랜 옛 서울의
한 이름 없는 마을에 태어나
부모 형제와 이웃 사람의 얼굴, 그리고 하늘의 별들을 볼 적
부터
죽음을 밥 먹듯 생각하게 되었다.

시 〈자화상〉에서 이렇게 노래한 김동리는 한국의 현대문학을
대표하는 거목으로 섰다. 그런 그의 삶을 1주기인 1996년에 시
인 서정주는 이렇게 비문을 썼다.

"무슨 일에서건 지고는 못 견디는 한국 문인 중의 가장 큰 욕
심꾸러기, 어여쁜 것 앞에서는 매양 몸살을 앓던 탐미파 중의
탐미파, 신라 망한 뒤의 폐도(廢都)에 떠오른 기묘하게도 아
름다운 무지개여."

(2016년 6월)

박태원

갓빠머리에 나팔바지 입은 모던 보이

1909. 12. 7.~1986. 7. 10.

자신의 이름보다 작품 주인공 이름으로 더 기억되는 작가가 있다. 〈소설가 구보 씨의 일일〉의 주인공 구보 씨가 바로 그인데, '구보'는 이 작품을 쓴 박태원의 호이기도 하다. 1930년대를 대표하는 작가 박태원은 올해로 작고한 지 30년이 된다. 7월과 시절 인연이 닿은 그를 그리워해본다.

장가를 가지 않았고, 딱히 직업도 없고, 버는 돈도 시원찮은, '갓빠머리(바가지머리)'에 나팔바지를 입은 스물여섯의 댄디한 '서울 멋쟁이' 구보는 한 손엔 단장을 짚고 다른 한 손엔 공책을 들고 "집을 나와 천변길을 광교로 향하여 걸어"나간다.

　　이 구보는 1910년 1월 6일 "종각역 5번 출구로 나와 조금 걸으면 광교가 나오고, 광교를 지나 오른쪽으로 동선을 틀면(윤고은 소설 〈다옥정 7번지〉)" 나오는 '경성부 다옥정 7번지(지금의 중구 다동 7번지)'에서 박용환과 남양 홍씨 사이 4남 2녀 중 둘째 아들로 태어났다. 등 한쪽에 커다란 점이 있어 처음에는 이름을 '점성(點星)'으로 지었는데, 아홉 살에 '태원(泰遠)'으로 바꾼다.

　　《춘향전》《심청전》《소대성전》 같은 고소설을 탐독한 그는 경성제일고보 시절에 문학 서클을 만들어 활동하는 한편《동명》지에 '소년 칼럼' 〈달마지〉가 뽑히기도 한다.

　　1926년 박태원은 의사였던 작은아버지(박용남)와 고모(박용

박소운, 이상과 함께한 박태원(뒤)

일)의 소개로 이광수에게서 사사받으면서 《조선문단》에 시 〈누님〉이 당선되어 데뷔한다. 그가 소설가로 데뷔한 것은 1930년 《신생》 3월호에 단편소설 〈수염〉을 발표하면서부터다.

1933년 박태원은 조용만의 추천으로 이상, 이태준, 정지용, 김기림, 이효석 등과 함께 경향주의 문학에 반하여 '순수예술 추구'를 취지로 결성된 '구인회'에 가입해 활동을 시작한다. 같은 해 《동아일보》에 청전 이상범의 삽화와 함께 〈반년간〉을 연재했던 그는 이듬해 바로 그 문제작 〈소설가 구보 씨의 일일〉을 《조선중앙일보》에 하융(친구인 시인 이상)의 삽화와 함께 연재한다.

훗날 최인훈을 비롯한 여러 작가들의 패러디의 대상이 된 이 작품은 1930년대 한 무기력한 작가의 눈에 비친 일상사를 그리고 있다. 박태원은 이 작품의 창작 기법에 대해 스스로 이름 붙인 고현학(modernlogy, 고고학의 반대 개념으로 현대적 일상생활의 조사 탐구)적 방법으로 썼다고 썼다.

박태원의 절친 이태준은 이 작품에 대해 이렇게 평가했다.

"구보는 누구보다 선각한 스타일리스트다. 그의 독특한 끈기 있는 치렁치렁한 장거리 문장, 심리고 사건이고 한 번 이 문장에 걸리기만 하면 일사(一絲)를 가리지 못하고 적나라하게 노출된다."

박 태원이 《조선중앙일보》에 「소설가 仇甫씨의 一日」을 연재할 때, 이상은 河戎이라는 이름으로 삽화를 그렸다.
(1934. 8. 1～9. 19)

〈소설가 구보 씨의 일일〉의 삽화

유복한 환경에서 자랐지만 서민들의 삶에 유독 관심이 많았던 그는 이 작품이 수록된 작품집 서문에서 "차라리 나는 이 조그만 작품집의 이름을 '딱한 사람들'이라 하는 것이 옳았을지도 모른다"라고 소회를 밝히기도 했다.

1936년《조광》지에 연재한 그의 또 다른 대표작 〈천변풍경〉역시 이 범주의 작품이다. 우리 문학의 대표적 세태소설로 꼽히는 이 작품은 청계천의 빨래터를 무대로 서울 서민층의 고단한 삶을 그렸다.

박태원이 이 작품을 집필할 때 특별한 모습을 보여 화제가 되었다고 한다.

박태원이 태어난 다옥정 7번지 집터(현 한국관광공사 부근)

"다점 한복판에서 펜을 들고 묵상을 하시며 창작하신다니 좀
더 씨가 유명해진다면 종로 네거리 한복판에서 창작을 하실
것이니……."(C생, 《문단 Gossip》, 〈예술〉, 1935. 4.) 글이 실린
네이버지식백과 재인용).

　　1934년 한약국 수민제중원을 경영하던 김중하의 무남독녀
로, 증평국민학교 교사였던 김정애와 결혼한 박태원은 이후 활
발한 작품을 활동을 펼친다. 1940년엔 서울 돈암동에 대지를
마련하고 직접 설계하여 집을 짓고 이사한다.
　　1941년《신시대》지에 〈신역 삼국지〉를 연재하는 등 왕성하
게 작품 활동을 하던 그는 1945년에 '조선문학건설본부' 소설

박태원이 쓴 〈천변풍경〉의 무대가 된 청계천

부 중앙위원회를 조직, 임원으로 선정되었다가 1948년 보도
연맹에 가입하여 전향 성명서를 발표한다. 그러다 그는 6 · 25
전쟁 중 서울에 온 이태준을 따라 월북한다.

한국전쟁 중 종군기자로도 활동했던 그는 1953년 평양문학
대학 교수를 지내면서 조운과 함께 《조선창극집》을 낸다.

1960년 다시 작가로 복귀한 그는 1965년 망막염으로 실명
했고, 1975년엔 고혈압으로 전신불수가 되었다.

그럼에도 그는 북한에서 재혼한 권영희(친구인 작가 정인택의
미망인)에게 구술하는 방식으로 1977년부터 3부작 《갑오농민
전쟁》을 집필한다(1부 '굶주리는 봄', 2부 '서면 백산 앉으면 죽산'
집필 후 작고하는 관계로 3부 '새야 새야 파랑새야'는 1986년 권영희

가 박태원의 구상과 자료를 가지고 집필). 그가 구술하면 아내가 받아 적고, 아내가 그 필사한 글을 읽어주면 몸짓으로 감수하면서 작품을 완성하던 박태원은 1981년부터는 구술 능력마저 상실한다.

그리고 그는 1986년 7월 10일 이승에서의 삶에 마침표를 찍는다. 북한은 그의 타계 소식을 전하면서 이렇게 평가하였다.

"서울에서 창작 생활을 하다 공화국 북반부로 들어와 우리 당의 문예 사상을 받들고 소설 문학을 발전시키는 데 자기의 정열과 재능을 다 바쳤다." (2016년 7월)

정지용

차마 꿈엔들 잊힐 수 없는 시인

1902. 5. 15.~1950. 9. 25.

어떤 이는 그가 전쟁의 와중에 납북됐다고 하고, 또 어떤 이는 월북했다고 한다. 전쟁 때문이었다는 것 말고 어떤 것도 그의 죽음을 정확하게 설명하지는 못한다. 그러나 노래로 만들어진 그의 시는 지금 '국민 애송시' 대접을 받으며 사람들에게 회자된다. 그는 〈향수〉의 시인 정지용이다. 9월과 시절 인연이 닿은 그를 그리워해본다.

시인 정지용은 1902년 5월 15일(음력) "넓은 벌 동쪽 끝으로/ 옛이야기 지줄대는 실개천이 휘돌아 나가"(〈향수〉)는 곳인 충북 옥천군 옥천읍 하계리 40번지에서 태어났다.

아명 '지룡(池龍, 연못에서 용이 승천했다는 태몽)'의 발음을 따서 이름이 '지용(芝溶)'이 된 그는 아홉 살에 옥천공립보통학교 (현 죽향초등학교)에 들어가 신식 공부를 시작한다.

하지만 1911년 홍수로 집은 물론이거니와, 가업인 한약방을 꾸리는 온갖 도구들까지 다 떠내려가면서 가세가 급격히 기울어지며 어렵게 학교를 다녔다.

열두 살 때인 1913년 동갑내기 송재숙과 결혼한 그는 가정 형편 때문에 상급학교에 진학하지 못하고 대신 4년 동안 서울의 친척집에서 낮에는 심부름을, 밤에는 한자 공부를 하며 기숙하다, 열일곱에 그의 문학적 요람이 된 휘문고보에 교비장학생으로 입학한다.

충북 옥천에 복원된 정지용 생가

　1학년 때에 그는 박팔양 등과 함께 동인지《요람》을 등사판으로 10여 호까지 발간해 돌려보았고, 2학년 때인 1919년 12월《서광(曙光)》지가 창간되자 첫 발표 작품이자 유일한 소설인〈3인〉을 발표한다.

　4년제에서 5년제가 되면서 동급생 60명 중 10명만이 5학년으로 진급할 때 거기에 끼어 5학년을 마치고 1922년 휘문고를 졸업한 그는 시〈풍랑몽〉을 쓰면서 본격적인 문학의 길로 들어선다. 그는 휘문고보 재학생과 졸업생이 함께하는 문우회에서 만든《휘문》창간호의 편집위원이 되는 한편《시문학》《구인회》등의 동인지 활동을 활발하게 한다.

한편 그는 훌륭한 인재를 모교의 교원으로 양성한다는 취지로 휘문의 교비 장학생이 되어 일본 유학을 떠나 도시샤(同志社)대 영문학과에 들어갔다가 1929년 졸업하고 애초 약속대로 모교인 휘문고보 영어교사로 부임한다.

1927년 그는《조선지광》3월호에 '고향의 정경'을 담은 대표작 〈향수〉를 발표하는 것을 비롯하여

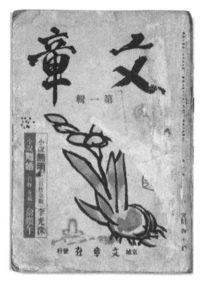

정지용이 활동한《문장》

〈뺏나무열매〉〈갈매기〉〈갑판우〉 등을 쓴다. 1930년엔 박용철, 김영랑, 이하윤 등과《시문학》의 동인으로 참가하면서 문단의 중요한 위치에 서게 된 그는 1935년 발표한 작품에서 89편을 골라 첫 시집《정지용 시집》을 시문학사에서 출간한다.

그의 삶에서《문장》에서의 활약을 빼놓을 수 없다. 1939년 《문장》지가 창간되자 소설은 이태준, 시는 그가 추천 위원이 되어 활약하는데, 조지훈, 박두진, 박목월, 김종한, 이한직, 박남수 등 우리 문단의 내로라하는 시인들을 추천한다.

1941년《문장》22호 특집으로 〈조찬〉〈진달래〉 등 10편의

충북 옥천 정지용 생가 마을에 조성된 시내

시를 발표한 그는 문장사에서 두 번째 시집《백록담》을 상재
한다.

그의 이런 활약에 대해 당시 함께 문단을 풍미하던 김기림
은 "조선의 새로운 신시사(新詩史) 상에 새로운 시기를 그으
려 한 선구자이며, 한국의 현대시가 지용에서 비롯되었다"고
평가했다.

일본 저항문학의 온상이라는 구실을 들어 일본총독부가《문
장》지를 강제 폐간하자, 그는 실의에 빠져 지내는 가운데, 일본
의 부역을 피해 부산, 통영, 강진, 제주 등지로 여행을 다니면서
기행문을 쓰기도 한다.

충북 옥천 정지용 생가 마을에 건립된 정지용문학관

1945년 해방이 되자 그는 휘문고보에서 이화여전 교수로 자리를 옮겨 한국어와 라틴어를 가르쳤다가 이듬해《경향신문》주간으로 간다. 1947년 다시 이화여전 교수로 돌아온 그는 작품을 활발히 쓰면서 지내다 이듬해 이화여전을 사임하고 녹번리초당(현 서울 은평구 녹번동)에서 서예를 하며 소일한다.

1950년 2월, 그는 얼핏 보아 곡마단원의 곡예를 묘사했지만 해방정국 속에서 이념적 갈등을 겪는 중도 지식인의 고뇌를 담았다는 마지막 시 〈곡마단〉을 발표하는 한편《국도신문》에 한려수도 기행문을 연재하고 있었다. 한국전쟁이 일어나자 그는 피난을 가지 않고 녹번리초당에 머물고 있었는데, 초당으로 찾

충북 옥천 정지용 생가 마을에 세워진 〈향수〉 시비

아온 사람들과 얘기를 나누다 따라나선 후 돌아오지 않았다고
한다.

그래서 그를 두고 사람들은 월북했다고 수군거리기도 했지
만 월북이 거의 확실한 절친 이태준에게 다시 돌아오라고 권유
했다는 일화를 통해서 보건대, 납북이라는 말에 더 무게가 실린
다. 한편에서는 전쟁 중 북한 정치보위부원에게 붙잡혀 서대문
형무소에 수감됐다 평양감옥으로 이송되는 도중 폭격으로 사망
했다거나 평양감옥에 수감돼 있다 정치보위부원에게 끌려가 돌
아오지 않았다고도 했다.

북한에서 발간된 《조선대백과사전》에는 그의 사망일을 9월

25일이라고 기록해놓았는데, 북한 시인 박산운이 말하길, 정지용이 자진 월북하다 동두천 소요산 부근에서 미군의 폭격으로 사망했다고 주장한 데 따른 것이라고 한다.

납북이든 월북이든 '북'에 갔다는 이유로 그의 이름은 입에 올려서는 안 되는 금기어가 되었다가 1988년 김기림과 함께 가장 먼저 작품이 해금된다. 그리고 어느 날 우연히 집에 있던 지용의 시집에서 〈향수〉를 읽고 감명을 받아 그 길로 서울대 교수 박인수를 찾아갔던 가수 이동원에 의해 이 시는 '국민 애송시'로 거듭난다.

넓은 벌 동쪽 끝으로
옛이야기 지줄대는 실개천이 휘돌아 나가고
얼룩배기 황소가
해설피 금빛 게으른 울음을 우는 곳
그곳이 차마 꿈엔들 잊힐 리야

질화로에 재가 식어지면
비인 밭에 밤바람 소리 말을 달리고,
엷은 졸음에 겨운 늙으신 아버지가
짚베개를 돋아 고이시는 곳
그곳이 차마 꿈엔들 잊힐 리야

흙에서 자란 내 마음
파란 하늘빛이 그리워
함부로 쏜 화살을 찾으려
풀섶 이슬에 함초롬 휘적시던 곳,
그곳이 차마 꿈엔들 잊힐 리야

전설 바다에 춤추는 밤물결 같은
검은 귀밑머리 날리는 어린 누이와
아무렇지도 않고 예쁠 것도 없는
사철 발 벗은 아내가 따가운 햇살을
등에 지고 이삭 줍던 곳,
그곳이 차마 꿈엔들 잊힐 리야

하늘에는 성근 별
알 수도 없는 모래성으로 발을 옮기고,
서리 까마귀 우지짖고 지나가는
초라한 지붕 흐릿한 불빛에
돌아앉아 도란도란거리는 곳
그곳이 차마 꿈엔들 잊힐 리야

(2016년 9월)

박종화

역사소설로 드날린 '조수루' 주인

1901. 10. 29.~1981. 1. 13.

〈용의 눈물〉〈여인천하〉〈연산군〉 같은 사극의 제목을 주워섬기면 중장년층은 물론이거니와, 젊은이들도 알은체한다. 시청률 대박을 터트린 전설의 드라마였으니 내용은 그렇다 치더라도 제목 정도는 알고 있으리라. 헌데 이 드라마의 원작자가 누구냐고 물으면 열에 아홉은 고개를 좌우로 흔든다. 그 작가는 바로 월탄 박종화이다.

연산군 시절 흥청으로 궁에 들어갔다가 중종의 후궁이 된 경빈 박씨(敬嬪 朴氏) 역을 맡은 탤런트 도지원이 유행시킨 "뭬야"를 기억할 것이다. 인터넷에 도지원을 치면 으레 "뭬야"가 연관 검색어로 나올 정도인데, 이 대사는 애초 대본에 없었다지만 〈여인천하〉라는 드라마를 세상에 깊이 각인시키는 데 크게 기여한다.

　그런데 이 드라마의 원작이 '역사소설의 대가'라 불리는 월탄 박종화가 쓴 같은 제목의 소설이라는 사실을 기억하는 사람은 드물다. 그렇다. 중장년층은 '월탄'이라는 그의 호가 나오면 자동으로 이름 '박종화'까지 또렷이 기억할 만큼 한때 시대를 풍미하던 작가였지만 이젠 우리의 기억에서 사라져가고 있는 게 현실이다.

　하지만 그가 남긴 문학적 업적을 더듬어볼 때 우리가 반드시 기억해야 할 작가라는 점에 동의하며 그를 추억해본다.

《장미촌》 창간호

그는 1901년 10월 29일 서울의 부유한 집안에서 태어나 자손들의 교육을 직접 관장하였던 할아버지의 명에 따라 다섯 살부터 사숙(私塾)에서 12년간 한학을 공부했다.

이어 신식 학교인 휘문고보에 들어가 공부했던 그는 졸업하던 해인 1920년 홍사용 등과 함께 문학동인지 《문우》를 펴내면서 문단에 발을 디민다. 이듬해 그는 《장미촌》 창간호에 시 〈오뇌의 청춘〉과 〈우윳빛 거리〉를 발표한다.

그는 홍사용과 나도향, 이상화, 박영희, 이광수 등과 함께 동인잡지 《백조》를 창간하면서 본격적인 문단 활동을 한다. 삼일운동 후 젊은이들을 위한 계몽의 수단으로 문예부흥이 매우 중요하다는 생각에서 그가 경기도 화성의 갑부였던 홍사용에게 비용을 부탁하여 이루어낸 결실이었다. 《백조》는 애초 격월간이었으나 일제의 혹독한 검열과 간섭으로 제때에 내지 못했다. 이에 《백조》는 외국인의 치외법권을 활용하여 일제의 검열을 피해볼 심산으로 발행인 란에 외국인의 이름을 넣었는데, 창간호에서는 미국인 아펜셀러로 했다.

박종화의 작품들

　　그런데 2호에서 그는 나중에 외아들의 며느리를 맞으면서 사
돈이 된 현진건과 협의하여 동인 명단에서 이광수의 이름을 뺀
다. 이광수가 본처를 버리고 여의사 허영숙과 동거하는 한편
'귀순장'을 쓰고 일제에 항복했기 때문이었다.

　　1942년 첫 시집《흑방비곡》을 상재하여 시인으로서 입지를
굳혔던 그는 이 해에《개벽》에 작가 나도향을 모델로 봉건적 가
부장제를 비판하는 단편소설 〈아버지와 아들〉을 발표하면서 소
설가 겸업을 시작한다.

　　박종화가 훗날 자기만의 영역으로 굳힌 역사소설의 시작은
1935년《매일신보》에 〈금삼의 피〉를 연재하면서다. 그런데 그
의 신문 연재에는 우여곡절이 있었다고 한다. 문예부 기자 조종
만이 편집국장인 김형원에게 월탄의 역사소설 연재 제안을 하

박종화가 번역한 《삼국지》

자 《개벽》에서 자신의 시를 비판했던 일로 월탄과 사이가 틀어진 국장이 반대했는데, 조종만이 부사장 이상협에게 보고하여 연재 승낙을 받아냈던 것이다.

역사소설을 집필하는 월탄의 문학관을 보여주는 또 하나의 일화. 1954년부터 1957년까지 연재한 〈임진왜란〉에서 월탄은 이순신 장군의 최후를 자결로 처리한다. 적탄에 맞아 전사한 것이 엄연한 역사적 사실임에도 소설이라는 장점을 살려 패주하는 왜적의 유탄에 맞아 죽는 싱거운 상황을 만들고 싶지 않았던 것이다.

그가 역사소설가가 되기로 결심한 것은 "나날이 스러져가는 아름다운 이 조국을 마음속 깊이 간직하자는 슬프고 외롭던 의도"때문이라고 1979년에 묶은 '박종화대표전집'의 서문에서

서울 충신동에서 평창동으로 옮겨 지은 박종화 집 조수루

밝힌 바 있다.

그의 작품들은 유독 영화나 드라마로 많이 제작되었다. 앞에서 얘기한 〈여인천하〉 말고도 〈연산군〉(원작《금삼의 피》), 〈용의 눈물〉(원작《양녕대군》), 〈왕의 여자〉(원작《자고가는 저 구름아》), 〈신돈〉(원작《다정불심》) 등 언뜻 떠오르는 작품만도 여럿이다. 또한 그는 그 유명한《삼국지》를 번역하기도 했다.

월탄의 집은 서울 충신동 55의 5에 자리 잡고 있었는데, 한말 어영대장을 지낸 이봉의의 아들인 이기원이 지은 서울의 옛 중인 계급의 전형적인 가옥이라 해서 외국에 소개될 정도였다.

'조수루(釣水樓, 물을 낚는 집)'라는 당호가 붙은 이 집에서 월탄은 추사의 행서 병풍을 뒤로하고 작은 서안을 놓고 만년필로 글을 썼다고 한다.

1970년대 도로 개설로 인해 조수루가 헐릴 위기에 처하자 평창동으로 이전한 이 집이 한국전쟁 때도 그대로 남아 있을 수 있었던 것은 좌익계 문인들이 문학가 동맹을 이 집에서 조직하느라 점거하고 있었기 때문이라고 한다.

《서울신문》사장과 성균관대 교수를 지내기도 했던 그에 대한 평은 대체로 원만했다. 그와 교류해온 김팔봉의 그에 대한 월단평이다.

"월탄의 성품은 본시 따뜻하고, 부드럽고, 순하고, 진중하며, 극단을 싫어하고 중용을 즐겨하는 그러한 경향이면서 쾌활하고, 명랑하다."

생전에 3권의 시집과 18편의 장편소설, 12편의 단편소설, 5권의 수필집, 평론집을 낸 그는 1981년 1월 13일 여든 살을 일기로 이승에서의 삶에 마침표를 찍었다. (2016년 10월)

이태준

조용한 눈빛 지닌 한국의 모파상

1904. 11. 4.~미상

정지용 시인과 으레 바늘과 실("상허의 산문, 지용의 운문")처럼 사람들의 입에 회자되는 작가가 있다. 상허 이태준(尚虛, 李泰俊). 그는 깔끔한 구성과 개성 있는 인물 묘사로 한국 단편소설의 완성자로 불리며, 1930년대 한국문학의 황금기를 이끌었던 작가이다. 11월과 시절 인연이 닿은 이태준을 그리워해본다.

"크지 않은 체격에 단정히 가르마를 타 빗은 머리, 쌍꺼풀진 눈에 조용한 눈빛(《시인 동주》)"을 가진 이태준은 "소설만으로 전업을 못 삼는 것은 슬픈 일"이라고 했다. 그가 말한 '슬픈 일'은 글만 써서 밥 먹지 못하는 현실을 한탄하였을 터이지만 지금 우리는 그의 파란만장한 삶을 슬픈 일로 여긴다.

'가난'과 '불우'란 낱말이 성장기를 설명하는 키워드가 된 데다, '월북 작가'라는 꼬리표까지 덧씌워져 있어서 이 땅에서는 여전히 '가까이하기엔 아직 먼 작가'라는 인상을 지울 수 없기 때문이리라.

이태준은 1904년 11월 4일(음력) 강원도 철원군 묘장면 산명리에서 대한제국 말기의 하급 관리의 서자로 태어났다. 개화당에 가입한 그의 아버지는 개화파의 개혁이 실패하자 가솔들을 이끌고 러시아 블라디보스토크로 간다.

그러나 이태준이 다섯 살 무렵 아버지가 화병으로 사망하고

강원도 철원에 자리 잡은 이태준 생가 터

뒤이어 어머니마저 세상을 등지자 누이 둘과 함께 고향인 철원 용담마을의 친척 집에 맡겨진다.

아무리 친척 집이라 해도 남의집살이는 어린 이태준이 감당하기엔 가혹한 것이었다. 철원의 봉명학교를 졸업한 그는 구박을 견디지 못해 가출까지 했을 정도였고, 심지어 배재학당 보결시험에 합격했지만 등록금이 없어 포기해야 했다.

그래서 그는 낮에는 상점 점원으로 일하면서 청년회관 야학교 고등과에 다니다 1921년 휘문고보에 들어간다. 그는 교내 청소를 하여 학비를 면제받거나 책 장사를 하여 수업료를 조달하기도 했다. 이때 그는 톨스토이나 괴테, 위고 등의 문학작품을 탐독하는 가운데, 상급반에 있던 정지용, 김영랑, 박종화, 하급반에 있던 박노갑과 친분을 나눈다.

1924년 휘문고보 학예부장으로 활동한 그는 《휘문》 제2호에 동화 〈물고기 이약이〉 등 6편을 발표하는 한편, 그해 6월에 있었던 동맹휴교 주모자로 몰려 4학년 1학기에 퇴학당한다. 그리고 이듬해 그는 친구 김연만의 도움으로 일본으로 건너가 소설 〈오몽녀〉를 집필하여 《조선문단》에 투고하여 입선한다.

김복진이 그린 이태준 소묘

이렇게 문단에 나온 그는 1926년에 조치대학(上智大學) 예과에 들어가 신문 배달 등으로 학비와 생활비를 벌며 고학한다. 그러나 고독과 궁핍을 견뎌내기가 너무 힘들게 되자 그는 1927년 11월 자퇴하고 귀국한다.

여러 신문사와 모교를 찾아가 취업을 시도하였지만 허사가 되어 노숙자 신세까지 되었던 그는 민중에 대한 애정이 담긴 문제적 소설 집필에 몰두한다. 그러다 그는 1929년 《개벽》사에 들어가 〈학생〉 〈신생〉 등의 편집에 관여한다.

1930년 이화여전 음악과 출신인 이순옥과 결혼한 그는 이듬해 《중외일보》 기자로 직장을 옮긴다. 이후 그는 이 신문이 폐간되자 그 명맥을 이은 《조선중앙일보》 학예부 기자를 거쳐 부장

서울 성북동에 자리 잡은 이태준이 살던 집 '수연산방'

으로 근무한다.

이태준은 1932년부터는 이화여전, 이화보건전문, 경성보건전문 등에 출강하며 비교적 안정된 생활을 꾸린다. 이 무렵 〈불우 선생〉〈고향〉 등을 집필하여《삼천리》와《동방평론》에 발표하는 한편 서울 성북동에 한옥 '수연산방(壽硯山房)'을 짓고 그곳에서 왕성하게 집필 활동을 이어간다. 〈달밤〉〈돌다리〉〈황진이〉 등의 작품이 이곳에서 태어났다.

1933년 이태준은 박태원, 이효석 등과 함께 '구인회(九人會)'를 조직한다. 구인회는 당시를 풍미하던 조선프롤레타리아예술가동맹(속칭 카프)의 참여문학에 대항하여 순수문학을 추구하는 문학 단체였다. 결성 당시 회장이 없는 단체의 좌장을 이태

강원도 철원에 세워진 이태준 문학비

준이 맡는 등 조직을 갖춘 구인회는 1934년 6월 17일부터 29일까지 《조선중앙일보》에 '격! 흉금을 열어 선배에게 일탄을 날림'을 연재하면서 존재감을 드러낸다. 이무영은 이광수에게, 박태원은 김동인에게, 조용만은 염상섭에게, 각각 문학을 하려면 제대로 하라는 내용을 담고 있었다. 파장은 컸다.

이태준의 삶에서 《문장》에서의 활약을 빼놓을 수 없다. 1939년 《문장》지가 창간되자 시의 정지용과 함께 그는 소설 부문의 추천자 역할을 맡아 임옥인, 곽하신, 최태응 등을 추천한다.

1940년대 들어 일제의 탄압이 점점 극으로 치닫자 그는 창씨개명을 거부하는 등 소극적으로 저항한다. 또한 이태준은 1941년 평양 대강연회에 끌려나왔으나 유일하게 조선말로 연

《무서록》 표지

설하기도 한다. 그러나 그 역시 나중엔 친일 색채가 짙은 〈토끼 이야기〉〈지원병 훈련소의 1일〉과 같은 작품을 일본어로 발표하기도 한다. 그런 상황 속에서 심한 심적 갈등을 느끼던 그는 1943년 홀연 철원으로 낙향한다.

해방이 되자 서울로 올라온 이태준은 이전과는 다른 모습을 보여준다. 1946년 2월에 열린 '전국문학자대회'에 앞장설 뿐만 아니라 '조선문학가동맹' 중앙집행위원회 부위원장으로 활동한다. 또한 이 단체의 기관지인《문학》에 〈해방 전후〉를 발표해 이 단체가 제정한 문학상의 첫 수상자가 된다.

1944년 그는 수필집《무서록(無序錄)》을 상재하는 한편 1946년엔 문장론인《문장강화》를 펴내기도 한다. 그리고 그는 1948년 홍명희와 함께 월북한다. 월북 초기에 평양조선문화협회 사절단 1호로 소련을 다녀오는 등 특별 대우를 받았지만 이후에는 점차 한직으로 밀렸고, 급기야 숙청되었다고 한다. 한국의 '모파상'이라 칭송받던 이태준. 벼루가 다할 때(수연)까지 글을 쓰고 싶었던 그의 삶은 이렇듯 아프고 슬펐다. (2016년 11월)

조지훈

지조 지키며 순수시 옹호한 선비

1920. 12. 3.~1968. 5. 17.

삶은 실천적이었을지라도 시(문학)만은 정치적이지 않기를 바랐던 시인이 있었다. 그는 민족시를 말하기 전에 시 자체를 알아야 한다고 했다. 시가 된 다음에야 민족시도 세계시도 될 수 있다는 것. 우리는 그를 박목월, 박두진과 더불어 '청록파 시인'이라고 부른다. 그는 '지조론'의 시인 조지훈이다. 〈올해(2020년)는 시인이 탄생한 지 100년이 되는 뜻깊은 해이다.〉

시인 조지훈 하면 두 개의 연관어가 떠오른다. 하나는 청록파, 또 하나는 지조론이다. 그가 시인이기에, 또 순수문학에 남다른 애정을 갖고 있었기에 시 얘기를 먼저 하고 싶지만, '최순실 게이트'로 지칭되는 작금의 우리 처지는 그런 여유로움을 허락하지 않는다.

"지조가 없는 지도자는 믿을 수가 없고 믿을 수 없는 자는 따를 수 없기 때문이다. 자기의 명리(名利)만을 위하여 그 동지와 지지자와 추종자를 일조(一朝)에 함정에 빠뜨리고 달아나는 지조 없는 지도자와 무절제와 배신 앞에 우리는 얼마나 많이 실망하였는가."   – 〈지조론〉 중에서

지금 우리들에게 이보다 더 설득력 있는 사자후가 필요할까. 여기서 의미를 덧붙이는 것은 사족이 될 것임에 틀림없으니, 서

조지훈의 고향으로 한양 조씨 집성 부락인 경북 영양 주실마을

둘러 그의 월단평을 시작하는 것이 나으리라.

본명이 동탁(東卓)인 조지훈은 소월과 영랑에서 비롯해 서정주, 유치환을 거쳐 청록파에 이르는 한국 현대시의 주류를 완성하는 한편, 황현과 한용운으로 흐르는 지사의 길 또한 받아들인 선비였다.

1920년 경북 영양 일월면 주실마을의 선비 집안에서 제헌의원이자 한의학자인 조헌영의 둘째로 태어난 그는 한문과 국문을 함께 배우며 어린 시절을 보냈는데, 아홉 살부터 시를 지었다고 한다. 이 무렵《백지》동인지에 실린 그가 쓴 습작 〈계산표〉와 〈귀곡지〉를 보고 당시 문명을 드날리던 소설가 유진오가

주실마을에 자리 잡은 조지훈의 생가

"혜민(慧敏)한 지성(知性)을 산다"고 평했다고 한다.

　그가 열한 살인 1940년에 시인 정지용이 있던《문장》지를 통해 〈고풍의상〉〈승무〉〈봉황수〉로 3번의 추천을 완료하고 시인으로 데뷔했던 것을 감안하면, '아홉 살 시작(詩作)' 운운은 천재성을 드러내기 위한 확인 불명의 일화가 아니라 시에 천재적 재능이 있음을 입증해주고도 남는다.

　열아홉의 나이에 서울로 온 조지훈은 고향 선배인 오일도 시인을 만나 그가 주관한 시원사에 머무르면서, 만해 한용운이 서대문 감옥에서 옥사한 독립운동가 일송 김동삼의 시신을 거두어 치른 장례에 참례한다. 이처럼 그는 일찍부터 선조인 조광조

《청록집》표지

(趙光祖, 1482~1519, 조선 중종 대 개혁 사상가)의 후손답게 지조를 목숨처럼 여기는 삶을 확립했다.

이 무렵 그는 보들레르와 와일드 등의 시를 읽었고, 문예사조를 알아볼 요량으로 보들레르와 도스토옙스키, 플로베르를 읽고 나서 보들레르의 상징주의가 정통이라고 믿었고, 와일드의 탐미주의에 혹하여《살로메》를 번역하기도 한다. 그리고 그는 당시 대부분의 문학청년들처럼 1차 대전 전후의 아방가르드 문학에 열중하기도 한다.

와세다대학 통신강의록으로 공부해 혜화전문(동국대 전신)에 들어간 그는 가문과 선조들로부터 물려받은 전통적인 동양 사상에다 서구적 자의식과 탐미주의 세계관을 접목시킨다.

스물두 살인 1941년 오대산 월정사 불교 강원의 외전 강사 생활을 하면서 수양 겸 숨어 지냈다. 그는 해방이 되자 일제에 의해 말살 당한 민족문화를 되살리기 위해 명륜전문학교 강사를 지내는 한편 학글학회 국어 교본 편찬, 조선어학회 큰사전 편찬 경험을 살린 국어와 국사 교육의 기초를 닦는 일에 참여한

주실마을에 세워진 〈승무〉 시비

다. 1942년에는 친일 성격의 '조선문인보국회'의 입회를 강요
받자 그는 추천 시 몇 편 발표한 것이 무슨 시인이냐며 붓을 꺾
기도 했다.

해방 이듬해 그는 경기여고 교사에서 고려대 교수로 자리를
옮겨 후학을 기르는 한편 좌익 계열의 문인들이 문학을 정치도
구화하려는 의도로 '조선문학가동맹'을 결성하자 이에 맞서는
순수문학 단체인 '한국문학가협회' 창립에 김동리, 조연현 등과
함께 나선다.

그의 문학적 성취에서 《청록집》을 빼놓을 수 없다. 1946년
을유문화사로부터 박목월, 박두진과의 합동 시집 출간을 권유
받고, 어느 눈 오는 날 밤 지훈의 성북동 집(방우산장기, 마음속에

주실마을에 세워진 조지훈문학관

소를 한 마리 키우면 소를 직접 키우는 것과 다름없다며 자신이 기거했던 모든 집을 이렇게 불렀다)에서 시를 골랐고, 시집 이름은 목월이 지었다. 청록파의 시풍은 당시 유행하던 도시적 서정이나 정치적 목적성과는 달리 자연으로 돌아가는 고전 정신의 부활과 순수 서정시의 세계를 그리고 있었다.

한국전쟁이 일어나자 그는 문우들과 함께 대구에서 '문총구국대'를 조직하여 전선을 찾기도 하면서 강한 휴머니즘과 자유와 정의에 대한 투철한 의식을 갖게 된다.

1956년 그는 그동안 발표했던 동양적 정신과 한국적 정서를 그린 시들을 모아 《조지훈 시선》을 상재하였고, 애초 '기려초'

주실마을에 조성된 조지훈 시 공원

라는 항목으로 실으려던 해방 후와 한국전쟁에 이르기까지 어두운 현실 속에서 경험한 고민을 담은 시들을 모아 1959년에 《역사 앞에서》를 냈다.

또한 시인 조지훈을 설명하는 또 하나의 키워드인 '지조론'을 각인시킨 수상집 《지조론》은 1962년에 간행된다.

이렇듯 "돌뿌리 가시밭에 다친 발길의" 고행의 생애를 산 시인은 "비단(非但)의 시가만이 아니라 학문(國學)과 논객으로서의 강개한 외침(서울 남산에 세워진 시비 중에서)"을 남기고 1968년 5월 17일 새벽 5시 40분 기관지 확장으로 이승에서 삶에 마침표를 찍었다. (2016년 12월)

백석

나타샤는 다시 만났나요?

1912. 7. 1.~1996. 1.

서울 동숭동에 있는 드림아트센터에서 지금 한창 무대에 올려지고 있는 뮤지컬 한 편이 이 달의 '그리운 그 작가'와 관련해 눈길을 끈다. 시대를 풍미했던 모던 보이이자 해방 전 가장 주목받던 시인과 그 시인을 평생 잊지 못하던 '자야'와의 애틋한 사랑 이야기를 다룬 〈나와 나타샤와 흰 당나귀〉가 그것. 제목의 '나'인 그는 시인 백석이다.

가난한 내가
아름다운 나타샤를 사랑해서
오늘 밤은 푹푹 눈이 나린다

나타샤를 사랑은 하고
눈은 푹푹 날리고
나는 혼자 쓸쓸히 앉어 소주(燒酒)를 마신다
소주(燒酒)를 마시며 생각한다
나타샤와 나는
눈이 푹푹 쌓이는 밤 흰 당나귀 타고
산골로 가자 출출이 우는 깊은 산골로 가 마가리에 살자

눈은 푹푹 나리고
나는 나타샤를 생각하고

영생고보 축구부 지도교사였던 백석(1937년)

나타샤가 아니 올 리 없다
언제 벌써 내 속에 고조곤히 와 이야기한다
산골로 가는 것은 세상한테 지는 것이 아니다
세상 같은 건 더러워 버리는 것이다

눈은 푹푹 나리고
아름다운 나타샤는 나를 사랑하고
어데서 흰 당나귀도 오늘밤이 좋아서 응앙응앙 울을 것이다

- 〈나와 나타샤와 흰 당나귀〉 전문

'나'인 백석이 사랑하는 '나타샤'인 '자야'는 세상 떠나기 전, 평생을 일궈 모은 전 재산 1천억 원을 법정 스님(101쪽 법정 편 참조)에게 시주하여 길상사로 거듭난다. 이때 백석의 연인인 '자야(김영한)'는 1천억 원 재산이 아깝지 않느냐는 질문에 "천 억 원대의 재산은 백석의 시 한 줄에도 못 미치는 것"이라는 말 로 응수하기도 해 '그 시인에 그 여인'이라는 화제를 모은 바 있 기도 하다.

백석은 1912년 평안북도 정주 여우난골에서 개화한 인물로, 당시 국내에서 몇 안 되는 사진 기술을 갖고 있던 백시박의 맏 아들로 태어났다.

185센티미터의 훤칠한 키의 미소년이었던 백석은 김일성과 동갑이고, 소설가 이광수, 시인 김소월과 동향이다.

오산소학교와 오산고보를 졸업한 백석은 집안 형편 때문에 대학에 진학하지 못하고 대신《조선일보》신춘문예 현상 모집 에 단편소설〈그 모(母)와 아들〉이 당선되면서 등단했다. 그의 작품은《조선일보》사주 방응모가 장학금을 주어 일본 유학을 시킬 만큼 눈에 띄었다고 한다.

일본 야오야마(青山) 학원 영어사범과를 졸업하고 귀국한 백 석은《조선일보》출판부에 들어간다. 그의《조선일보》선택은 유학 자금 지원과 당시 아버지가 사진반장으로 있었기 때문으 로 보인다.

편집자 일을 하면서 틈틈이 안톤 체호프의 작품을 번역해 신

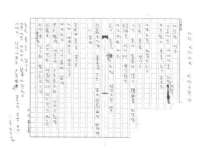

시집《사슴》과 백석의 육필 원고

기도 하던 그는 1935년 시 〈정주성〉을 발표하면서 시인까지 겸장하게 된다.

이듬해 그는 첫 시집《사슴》을 상재하는데, 100부 한정판이 었던 터여서 그의 시를 좋아했던 윤동주는 시집을 구하지 못해 직접 필사본을 만들어 애송했다고 전해진다.

이 무렵 백석은 친구의 결혼식 피로연에 갔다가 나중에 친구 신현중과 결혼한 박경련을 만나 첫눈에 반해 사랑에 빠지지만 이루어질 수 없는 사랑에 실망한 그는 함흥 영생고보 교사 채용 시험에 합격해 서울을 떠난다.

이 학교에 근무하다 그는 문제의 그녀 '자야'를 만난다. 어느 날 학교 회식 자리에서 권번(기생) 출신 여인의 옆자리에 앉게 되었는데, 그 여인이 바로 백석의 혼을 빼앗은, 백석이 '자야'라고 불렀다는 김영한이다.

그러나 백석은 1937년 가을 잠시 고향에 갔다가 부모의 강권으로 선을 보고 결혼까지 하게 되지만 '자야'가 그리워 사흘 만에 함흥으로 달려온다. 그러자 자야는 되레 그의 결혼 소식에 실망한 나머지 서울로 내려온다. 이렇게 이별을 맞이했지만 이듬해 봄 백석이 서울 청진동의 김영한 집으로 찾아오면서 다시 사랑의 불길은 타올랐다.

그런데 백석은 1939년 출장을 핑계로 고향에 갔다가 몰래 다시 혼인을 하고 돌아오는데, 자야는 직감적으로 이 사실을 알아차린다. 이에 백석이 자야에게 만주로 떠나자고 제의했지만 그녀가 대꾸조차 하지 않자 그 혼자 신경으로 떠난다. 이들의 사랑은 이렇게 미완인 채 해방을 맞고, 잠시 고향에 들렀다가 조만식의 러시아어 통역 비서를 맡아달라고 하자 백석은 평양으로 간다.

백석은 1945년 평양에서 당시 스무 살이었던 앳된 처자와 결혼을 하며 조만식과 함께하다 조만식이 연금되자 비서를 그만두고 절필했다고 한다. 이때 그는 시 대신 아동문학으로 전향하고 외국 문학 번역으로 호구지책을 삼았다고 전해진다. 1946년 이후의 그의 행적에 대해서는 거의 알려지지 않았다.

다만 최근에 밝혀진 바에 따르면, 백석은 한설야가 회장을 맡고 있고 소설가 이기영, 시인 임화, 소설가 이태준 등이 활동하

북한에서 새로 가정을 꾸렸던 백석

던 북조선문학예술총동맹 외국 문학 분과위원이었다고 한다.

이런저런 문학 활동을 이어가면서 몇 편의 시를 발표하기도
했던 백석은 1962년엔 완전히 절필했다고 한다.

조선에서 오랫동안 머물렀던 일본시인 노리다케 가스오(則
武三雄)가 그의 시 〈파〉에서 "뛰어난 시인 백석, 무명의 나"라고
노래했고, 시인 신경림은 "백석의 시집 《사슴》을 읽은 저녁, 밥

은 반 사발밖에 못 먹고 밤을 꼬박 새웠노라"고 했고, 그의 평전을 쓴 안도현 시인은 그의 시를 베끼고 싶어 시인이 되었다고 고백했다.

1987년 이 땅에서 그의 이름 두 자와 시들이 해금되면서 백석은 우리가 사랑하는 시인으로 다시 태어났다. 그리고 9년 후인 1996년 1월 그가 이승에서의 삶에 마침표를 찍었다는 사실이 뒤늦게 알려졌다.

이제 백석은 저승에서라도 마음 놓고 나타샤 '자야'를 다시 만나 못 다한 사랑을 불태우고 있을지도 모른다. (2017년 1월)

이효석

향토색 짙은 작품을 쓴 스타일리스트

1907. 2. 23.~1942. 5. 25.

"꽃이 소금을 뿌린 듯이 흐붓한 달빛에 숨이 막힐 지경이었다"는 표현만으로도 우리는 그 꽃이 어떤 꽃이고, 누가 쓴 어떤 작품의 한 구절인지 금방 안다. 소금을 뿌린 듯 하얀 물결이 출렁이게 하는 그 꽃은 여름에 핀다는데, 눈이 소금을 대신할 수 있지 않을까 하는 기대감으로 겨울에 작가 이효석을 그리워해보자.

"문장은 오늘날 독자도 흥미를 느낄 수 있을 정도로 가뿐한 호흡과 즉물적 재미를 자랑(이상옥 서울대 영문과 명예교수)"한다는 작가 이효석은 올해로 태어난 지 110년을 맞이한다. 그는 1907년 2월 23일, 강원도 평창군 봉평면 창동리 남안동 681번지에서 이시후와 강경홍의 1남 3녀 중 맏이로 태어났다. 아호는 가산(可山).

　그는 아버지를 따라 네 살 때 서울로 갔다가 여섯 살에 다시 고향 봉평으로 돌아와 자랐다.

　여덟 살에 군 소재지에 있는 평창공립보통학교(현 평창초등학교)에 들어가면서 그는 집을 떠나 하숙 생활을 시작했다. 걸어서 오가던 봉평의 집과 하숙집 사이 100리길은 고스란히 훗날 〈메밀꽃 필 무렵〉의 무대가 되어 서정성과 향토색 짙은 문학적 공간으로 그려진다. 봉평장터, 충주집, 노루목 고개, 장평 개울, 대화장….

강원도 평창 봉평에 복원된 이효석 생가

1920년, 열네 살의 이효석은 청운의 꿈을 안고 경성제일고보에 들어간다. 여기서 그는 일 년 선배로 문학적 우정을 나누게 되는《김강사와 T교수》의 작가 현민 유진오를 만난다. 둘 다 수재로 통할 만큼 공부를 잘했던 이들은 서로 습작을 돌려 읽으며 문학의 꿈을 키운다. 서구 문학작품을 섭렵하면서 이효석은 산문을, 유진오는 시를 썼다.

1925년 1월 경성제일고보 졸업을 며칠 앞둔 이효석은《매일신보》신춘문예에 시 〈봄〉이 선외가작(選外佳作)으로 뽑히며 문단에 이름을 올리고, 경성제국대학 예과에 입학하여서는 시 〈가을의 정서〉〈하오〉 등을 발표한다.

1927년 경성제대 본과 영문과로 진학한 이효석은《조선지

강원도 평창 봉평에 남아 있는 이효석이 살던 집

광》에 단편 〈도시와 유령〉을 발표하면서 소설로 옮겨간다. 이듬해 그는 사회성 짙은 〈행진곡〉〈기우〉 등을 발표하기도 했다.

경성제대를 졸업하고 그는 1930년 〈상륙〉〈북극사신〉을 발표하지만 심한 생활고에 시달리다 못해 일본인 스승의 소개로 조선총독부에 들어간다. 그렇잖아도 그는 마뜩찮아 심한 갈등을 겪고 있던 중 "이효석이 개가 되었다"는 욕을 듣고는 곧바로 그만두고 다시 궁핍한 생활로 돌아갔다.

이듬해 그는 사회적 상황에 맞서 투쟁하라는 역설을 담은 문제의 첫 창작집 《노령 근해》를 발표한다. 이로써 그는 유진오와 함께 카프(KAPF, 일제시대 활동했던 조선프롤레타리아예술가동맹의 약칭)로부터 공식적으로 '동반자 작가(프롤레타리아문학에 동

〈메밀꽃 필 무렵〉의 작품 무대였던 강원도 평창 봉평

조한 작가들을 총칭하는 말)'라는 칭호를 얻는다.

그는 그해 대학 시절 경성고보 선배에게서 소개받아 연애편지로 교류하다가 동거를 하고 있던 화가 지망생 신여성 이경원과 결혼한다. 그리고는 경성농업학교에 자리를 얻어 교사로 지내는 한편 왕성하게 창작 활동에 매달린다.

1933년 창립회원으로 '구인회(이종명, 김유영의 발기로 이효석, 이무영, 유치진, 이태준, 조용만, 김기림, 정지용 등 9인이 경향주의 문학에 반하여 '순수예술 추구'를 취지로 결성)'에 가담해 활동하던 그는 발족한 지 얼마 안 되어 탈퇴한다. 이때부터 그는 프로문학에서 벗어나 순수문학으로 옮겨갔다.

모형도로 복원한 〈메밀꽃 필 무렵〉의 작품 무대였던 봉평장

1936년 평양 숭실학교로 자리를 옮긴 그는 이 무렵 창작, 수필, 서간논평, 번역 등 다양한 장르를 소화하며 명성을 쌓고 문명을 드날렸고, 대표작 〈메밀꽃 필 무렵〉을 비롯해 〈분녀〉〈산〉〈들〉을 쓴다. 이로 인해 이효석은 한때 퇴폐적이고 통속적인 작가라는 비난을 받기도 했지만 개의치 않고 〈삽화〉〈낙엽기〉〈공상구락부〉〈화분〉 등 주옥같은 작품 목록 여럿을 추가한다.

〈메밀꽃 필 무렵〉이 주는 향토색에 비추어 우리는 이효석 하면 으레 스타일이나 생활 모습이 '농촌형'이라고 생각하기 십상이다. 하지만 그 반대였다. 학창 시절부터 안톤 체호프나 싱그(아일랜드 극작가)의 작품을 즐겨 읽었던 그는 클래식 음악을

강원도 평창 봉평에 세워진 이효석문학관

유난히 좋아해 모차르트나 슈베르트, 차이코프스키의 음악을 즐겨 들었다고 한다.

평양에 있는 그의 '푸른 집'은 넓은 정원 속에 자리 잡은 붉은 벽돌집으로 목욕탕과 지하실이 있고, 거실에는 피아노가, 침실에는 침대가 놓여 있는 등 마치 산장 같은 집이었다고 한다. 중절모에 넥타이를 단정하게 맨 그의 사진이 보여주듯 그는 외모에 상당히 신경을 쓴 스타일리스트였으며, 식성도 까다로워 '버터 냄새 나는 작가'라는 얘기를 듣기도 했다.

그의 이런 서구적 취향은 서양 문화에 일찍 눈을 뜬 아버지와 학창 시절 접했던 서양 소설들, 대학에서 만난 외국인 교수 등의 영향이 컸다고 한다.

이효석의 육필 원고와 만년필

1940년 슬하에 둔 사남매 중 둘째아들과 아내를 잃으면서
상실감이 컸던 그는 작품 발표가 뜸하다가 1941년 35세 되던
해에 뇌막염으로 자리에 눕는다. 수술받은 후 회복한 그는 〈일
요일〉 〈풀잎〉, 산문 〈문학과 국민성〉 등을 간간이 발표한다.

하지만 이미 해친 건강은 그를 가만히 두지 않았다. 1942년
5월 다시 병상에 누운 그는 가망이 없어 퇴원하였고, 혼수상태
에서 겨우 뛰던 그의 심장은 25일 멎었다. 향년 35세.

한편 그는 '인생의 봄' 등 수많은 히트곡을 남긴 가수 왕수복
과 염문도 뿌렸다. 일본 도쿄에서 우연히 만난 이효석과 왕수복
은 결혼을 꿈꿨지만 이효석의 죽음으로 이루어지지 못했다고
한다. 그의 유해는 화장해 평양에 묻혔다가 작고한 큰딸 이나미

강원도 평창 봉평에 세워진 이효석 문학비

가 평창군 진부면 고등골 산가에 안장한다. 그러나 그 후 용평
면 장평리 영동고속도로변 산록으로 묘소를 이장하였으나 학교
진입로 개설로 인해 묘지 가장자리가 깎이면서 고향을 등져 지
금은 경기도 파주 동화경모공원에서 영면해 있다. (2017년 2월)

조병화

럭비맨이고 싶었던 시인

1921. 5. 2.~2003. 3. 8.

사진 속 그는 베레모를 쓰고 파이프를 입에 물고 어딘가를 응시하고 있다. 그는 "시는 나의 호흡, 내면의 소리가 날숨처럼 시로 나온다"며 53권의 창작 시집을 남겼다. 어려운 주제일지라도 일상 속에서 말하듯 편지 쓰듯 쉽고 편하게 시를 썼던 그는 이번 달과 시절 인연이 닿은 조병화 시인이다.

지금 어드메쯤
아침을 몰고 오는 분이 계시옵니다
그분을 위하여
묵은 이 의자를 비워 드리지요

지금 어드메쯤
아침을 몰고 오는 어린 분이 계시옵니다
그분을 위하여
묵은 이 의자를 비워 드리겠어요

먼 옛날 어느 분이
내게 물려주듯이

지금 어드메쯤

조병화 239

경기도 안성 조병화문학관에 시화와 함께 설치된 의자

조병화문학관에 재현해놓은 조병화 집필실

아침을 몰고 오는 어린 분이 계시옵니다
그분을 위하여
묵은 이 의자를 비워 드리겠습니다.

조병화의 〈의자 7〉을 접할 때면 나는 서울 혜화동 집필실(조
병화문학관 옆 편운재)에서의 추억이 떠오르곤 한다.
시인은 인터뷰 차 방문한 내게 집필실 가득 쌓여 있던 책과
자료 틈새로 앉으라며 의자를 내밀었다. 시인이 내게 내밀었던
'의자'가 시의 '의자'와는 상관이 없음에도 나는 이 추억을 시
인을 기억하는 매개로 삼곤 했다.

조병화의 육필 원고와 만년필

　시인은 1921년 5월 2일 경기도 안성군 양성면 난실리에서 5
남 2녀 중 막내로 태어났다. 그의 고향 난실리는 한양 조씨 집성
부락인데, 조선의 개혁 사상가 조광조가 기묘사화로 죽임을 당
하고 삼족지멸(三族之滅)의 위기가 닥치자 한양 조씨들이 전국
곳곳으로 숨어들었는데, 그의 선조는 안성으로 왔던 것이다.

　산과 개울을 벗 삼고 천자문을 배우며 어린 시절을 보내던 그
는 여덟 살에 용인 송전공립보통학교에 들어가 신식 공부를 시
작한다. 철이 들면서 어차피 태어난 인생 긍정적이고 열심히 살
아야겠다는 의지를 다졌다는 그는 대처로 나가 경성사범학교

조병화가 그린 자화상

보통과를 다닌다.

이 무렵 풍성한 삶을 살려면 여행을 많이 해야 한다고 생각했던 그는 보이는 여행은 물론이거니와 책을 통해 보이지 않는 곳을 두루 여행하기도 했다.

카시오페이아자리를 유난히 좋아했던 그는 별을 그림으로 그리기도 하면서 나약함을 잊기 위해 운동에 몰두한다. 럭비. 뜻밖이다. 시인의 감성과 어디로 튈지 모르는 럭비공의 부조화. 그러나 시인은 "시인 조병화보다 럭비맨 조병화로 기억되고 싶다"고 말할 정도로 영원한 럭비맨이었다.

경기도 안성에 자리잡은 조병화문학관

　1943년 3월 경성사범을 졸업한 그는 그해 4월 일본으로 유학을 떠나 동경고등사범학교 이과에 들어가 물리, 화학을 수학하다가 일본이 패전하자 학업을 중단하고 귀국했다.

　해방된 조국으로 돌아온 그는 1945년 9월부터 경성사범학교에서 물리를 가르치면서 교단생활을 시작하여 인천중, 서울중에 재직한다.

　그러면서 그는 습작에 나섰고, 쓴 시들을 모아 1949년 시집 《버리고 싶은 유산》을 상재하면서 시인의 길로 들어섰다. 당시 시인이 되려면 거쳐야 하는 신춘문예나 문예지 추천을 거치지 않고 곧바로 시집을 출간하면서 문단에 이름을 올렸다는 점은

조병화는 자신의 아호를 따 서재 이름을 '편운재'라 지음

남다른 의미를 지닌다.

유난히 부끄러움이 많았던 그가 첫 시집을 내기까지는 경성사범의 동료 교사였던 김기림 시인의 도움이 컸다고 한다. 물리 교사인 그가 시를 쓴다는 얘기를 들은 김기림이 찾아와 시를 보여 달라며 의지를 북돋웠다고 한다. 이 일을 계기로 조병화는 김광균, 박인환 등 모더니스트 시인들과 자연스럽게 어울렸고, "문학이란 삶을 어떻게 꾸려갈 것인가에서 출발한다"는 창작관을 정립한다.

시인 김수영이 "넌 부르주아, 난 프롤레타리아"라고 빈정대기도 했지만 순수만 고집한 시인은 김소월, 한용운, 윤동주 같은 '휴머니즘 시인'이 되고자 했다.

시인은 보헤미안적 기질도 많았다. 삶에 미련을 두지 않고 아무 때나 훌훌 여행을 떠나는가 하면 시를 통해 인생이 여행이라

경기도 안성 조병화문학관 옆에 자리 잡은 조병화 묘

고 노래했다.

베레모와 파이프 말고 시인의 또 하나의 트레이드 마크는 양복 윗주머니에 꽂고 다니는 손수건. 1950년대 파리 여행 때 얻은 목도리가 낡아서 못 쓰게 되자 이를 손수 잘라서 손수건을 만들 만큼 그는 엉뚱하지만 낭만적이기도 하다.

중앙대, 연세대에서 시론을 강의하던 그는 1959년 경희대 교수로 옮겨 문리대학장을 지냈고, 1981년부터는 1986년 정년 퇴임할 때까지 인하대에서 후학을 길렀다.

조병화 시인은 다재다능했다. 그림에도 남다른 재능을 보여주었는데, 십수 차례 초대전을 가졌다. 그의 그림 세계는 시의 세계와 크게 다르지 않아 "아득한 그리움과 꿈이 형상화된 상상의 세계"로 이끈다는 평가를 받았다.

"인간의 숙명적인 허무와 고독이라는 철학적 명제의 성찰을 통하여 꿈과 사랑의 삶을 형상화"해온 시인은 창작 시집 53권을 비롯하여 선시집 28권, 시론집 5권, 화집 5권, 수필집 37권, 번역서 2권, 시 이론서 3권 등 모두 160여 권의 저서를 남겼다.

그의 시집은 국내에서뿐만 아니라 세계 여러 나라(일본, 중국, 독일, 프랑스, 영국, 스페인, 스웨덴, 이탈리아, 네덜란드)에서 25권이 번역 출판되기도 했다. 문단에서도 한국시인협회 회장, 한국문인협회 이사장, 대한민국예술원 회장을 지내기도 했다.

어머니의 가르침을 평생 가슴에 새기며 살았던 시인은 2003년 3월 9일, 자신의 아호 '구름 한 조각(片雲)'이 되어 이승에서의 삶을 마치고 '꿈의 귀향'을 한다.

나는 어머니의 심부름으로 이 세상에 나왔다가
이제 어머니의 심부름 다 마치고
어머니께 돌아왔습니다.

(2017년 3월)

조병화 247

사진 제공 19쪽 한산신문/ 24쪽 유기봉 시인/ 43쪽 문학동네/ 58쪽 세 번째, 85쪽 문학과지성사/ 108쪽 불교신문/ 137쪽 조동범 시인/ 157쪽 토지문화재단

우리가 사랑했던
그리운 그 작가

초판 1쇄 인쇄 2020년 3월 17일
초판 1쇄 발행 2020년 3월 25일

지은이　　조성일

펴낸이　　신민식
펴낸곳　　도서출판 지식여행
출판등록　　제2-3151호

주 소　　서울시 마포구 토정로 222 한국출판콘텐츠센터 306호
전 화　　02-333-1122
팩 스　　02-332-4111
이메일　　jkp2005@hanmail.net
홈페이지　　www.sirubooks.com

인쇄·제본　　상지사 P&B
종 이　　월드페이퍼(주)

ISBN　　978-89-6109-506-8(03800)

* 책값은 뒤표지에 적혀 있습니다.
* 잘못된 책은 구입처에서 바꿔 드립니다.
* 이 책의 전부 또는 일부 내용을 사용하려면 사전에 도서출판 지식여행의 동의를 받아야 합니다.

이 도서의 국립중앙도서관 출판시도서목록(CIP)은 서지정보유통지원시스템 홈페이지(http://www.seoji.nl.go.kr)와 국가자료공동목록시스템 (http://www.nl.go.kr/kolisnet)에서 이용하실 수 있습니다. (CIP제어번호: CIP2020008283)